# EAUX FORTES

**De la même auteure**

*Vanités*, Libre Expression, 2010
*Le Défilé des mirages*, Libre Expression, 2008
*Le Cercle des pénitents*, Libre Expression, 2007
*Le Cri du cerf*, Libre Expression, 2005

JOHANNE

# SEYMOUR

EAUX

# FORTES

Une société de Québecor Média

**Catalogage avant publication de Bibliothèque et Archives nationales du Québec et Bibliothèque et Archives Canada**

Seymour, Johanne

Eaux fortes : Kate McDougall enquête
(Expression noire)
ISBN 978-2-7648-0540-4
I. Titre. II. Collection: Expression noire.

PS8637.E97E29 2012 C843'.6 C2012-941877-3
PS9637.E97E29 2012

Direction littéraire : Monique H. Messier
Correction d'épreuves : Isabelle Lalonde
Couverture et mise en pages : Chantal Boyer
Photo de l'auteure : Sarah Scott

Cet ouvrage est une œuvre de fiction ; toute ressemblance avec des personnes ou des faits réels n'est que pure coïncidence.

**Remerciements**
Nous reconnaissons l'aide financière du gouvernement du Canada par l'entremise du Fonds du livre du Canada pour nos activités d'édition.
Nous remercions le Conseil des Arts du Canada et la Société de développement des entreprises culturelles du Québec (SODEC) du soutien accordé à notre programme de publication.
Gouvernement du Québec – Programme de crédit d'impôt pour l'édition de livres – gestion SODEC.



Les Éditions Libre Expression
Groupe Librex inc.
Une société de Québecor Média
La Tourelle
1055, boul. René-Lévesque Est
Bureau 800
Montréal (Québec) H2L 4S5
Tél. : 514 849-5259
Téléc. : 514 849-1388
www.edlibreexpression.com

Dépôt légal – Bibliothèque et Archives nationales du Québec et Bibliothèque et Archives Canada, 2012

ISBN : 978-2-7648-0540-4

**Distribution au Canada**
Messageries ADP
2315, rue de la Province
Longueuil (Québec) J4G 1G4
Tél. : 450 640-1234
Sans frais : 1 800 771-3022
www.messageries-adp.com

**Diffusion hors Canada**
Interforum
Immeuble Paryseine
3, allée de la Seine
F-94854 Ivry-sur-Seine Cedex
Tél. : 33 (0)1 49 59 10 10
www.interforum.fr

*En souvenir de Merlin, mon magicien.*

EAU-FORTE, n. f.

1. Acide nitrique étendu d'eau,
dont les graveurs se servent pour attaquer le cuivre,
là où le vernis a été enlevé par la pointe.
2. Genre de gravure utilisant ce procédé.

# MANIFESTE DE L'ANDEV

(Extrait I)

*L'Alliance nationale pour la défense de l'espace vital est une organisation satellite de l'Alliance nationale fondée par l'Américain William Luther Pierce. L'ANDEV a été créée en 1980 par Gustav Stein.*

*Basée dans la province de Québec, mais recrutant ses membres sur l'ensemble du territoire canadien, l'ANDEV compte aujourd'hui près de deux mille membres, et plus de quinze mille sympathisants.*

[...]

# 1

Il détailla froidement le corps de la femme, étendue à plat ventre sur le lit. À côté des lacérations fraîches, il y avait de vieilles brûlures de cigarette, les vestiges de quelques morsures et des marbrures là où l'acide, administré au compte-gouttes, avait rongé les chairs.

Il eut un soupir d'agacement.

Cela lui rappelait le petit ensemble de chimiste que son père lui avait donné, enfant. Sur le coup, il avait été emballé par le monde qui s'ouvrait à lui, mais il s'en était vite lassé.

Il actionna son chronomètre en même temps qu'il enfonçait la lame de rasoir dans les chairs de la femme. Il minuta la durée du hurlement…

Deux secondes.

Il n'avait pas vraiment besoin de calculer. Il connaissait déjà les résultats. Quatre secondes pour une cigarette. Quinze pour un os fracturé. Dix-neuf pour une goutte d'acide… Au-delà de ces chiffres, le sujet perdait généralement conscience, et il fallait le réanimer.

Il soupesa les risques à aller plus loin avec la femme, mais abandonna rapidement l'idée. Il devait mettre un frein à son impatience. Il lui tardait de reprendre ses

expériences ; toutefois l'exaltation qu'elles lui procuraient devrait attendre.

— Je veux arrêter…, gémit la femme.

Irrité par sa mollesse, il enfourcha son corps, souleva son bassin et la pénétra violemment. La femme lâcha un cri de douleur. Elle couinait comme une souris prise dans un piège. Cela le mit en colère. Il agrippa ses seins sans ménagement, pour mieux l'enfoncer, et continua de la marteler sans se préoccuper de ses plaintes. De toute façon, il n'était déjà plus dans la chambre avec elle. Il était de nouveau dans son studio, et le film qu'il se jouait dans sa tête était mille fois supérieur à la prestation de sa compagne.

D'ailleurs, cette femme n'avait jamais été qu'un réceptacle pour sa semence.

Son plaisir résidait ailleurs.

# 2

Il n'avait pas survécu à son calvaire. Malgré les bons soins des médecins du Centre hospitalier universitaire de Sherbrooke, quinze mois plus tard, le sergent à la retraite Jack Timmins succombait à ses blessures.

Aucune des mutilations dont il avait été victime n'avait été la cause directe de sa mort. Timmins n'avait tout simplement pas survécu aux traumatismes conjugués de son enlèvement et des séances de torture subies. Il ne s'était jamais réveillé du coma artificiel dans lequel on l'avait plongé à son arrivée à l'hôpital.

La femme de Timmins pleurait amèrement sa mort. Quarante ans de vie commune n'avaient pas réussi à entacher l'amour qui les unissait. Mais autant Élisa pleurait le décès de son mari, autant elle en était soulagée. Son Jack n'aurait jamais pu vivre dans l'état auquel l'agresseur l'avait réduit. Il n'aurait jamais accepté d'être privé de ses yeux, de sa langue ni de ses mains.

Le lieutenant Kate McDougall gara sa voiture près des grilles du cimetière baptiste où avait lieu la cérémonie. L'ossuaire était juché sur une colline à la sortie du village de Perkins, et Kate dut gravir une pente boueuse pour aller rejoindre les rangs de ses collègues de la Sûreté du

Québec. Élisa Timmins avait insisté pour que le cérémonial soit réduit au minimum. «Jack sera enterré comme il a vécu... avec simplicité», avait-elle dit. Elle avait toutefois fait entourer la fosse de lavande séchée. Celle-là même que son Jack cultivait avec amour et passion depuis qu'il avait pris sa retraite. L'air embaumait la lavande humide. On se serait cru en Provence, n'eussent été la pluie fine et le froid qui glaçait les os. Novembre mérite son appellation de mois des morts, songea Kate en se faufilant parmi les siens.

Le pasteur Peter Foster toussota puis s'adressa aux participants à demi camouflés sous des parapluies.

— Mes frères et sœurs...

Kate l'écouta énumérer les mérites de Timmins, puis les sermonner sur la nécessité, en ces instants de malheur, de croire aux desseins de Dieu. «Il a un plan, disait-il, même s'il demeure incompréhensible pour nous, pauvres pécheurs. Dieu...» Kate choisit ce moment pour laisser son esprit dériver vers les événements qui les avaient conduits jusqu'ici.

Du mois de mai au mois d'août 2009, des agressions violentes avaient été perpétrées contre des agents de la SQ. L'agresseur, qui laissait des esquisses au fusain sur les lieux des crimes, avait été surnommé l'Artiste. Après une enquête complexe, l'escouade dirigée par Kate avait découvert que les attaques étaient l'œuvre d'un certain Simon Stein. Un cerveau dérangé qui s'était vraisemblablement servi de certains membres de son organisation néo-nazie pour assouvir une vengeance personnelle contre l'inspecteur Paul Trudel. Au bout du compte, Kate et son équipe avaient sauvé ce dernier d'une mort certaine, mais ils n'avaient pas réussi à mettre la main sur Stein. Tout les portait maintenant à croire que l'homme avait vécu sous une nouvelle identité dès sa sortie de l'hôpital psychiatrique, où il avait été incarcéré vingt ans plus tôt.

Le regard de Kate se posa sur Paul Trudel.

Elle était heureuse de voir que le centre de réadaptation de Perkins lui avait procuré l'aide nécessaire pour assister à l'enterrement. Elle espérait que cet événement serait le déclencheur qui l'aiderait à recouvrer la mémoire, car Trudel souffrait d'amnésie depuis son séjour fatidique dans le « studio » de l'Artiste.

L'inspecteur chef des quatre divisions de l'Escouade des crimes violents (ECV) avait quand même fait certains progrès depuis son sauvetage. Il s'était remis de ses multiples fractures et pouvait maintenant marcher à l'aide de béquilles, même si c'était en fauteuil roulant qu'il assistait aujourd'hui aux funérailles. Là où le bât blessait, c'était psychologiquement. Trudel n'avait pas récupéré un seul souvenir, et sa vie entière, jusqu'à son réveil à l'hôpital, demeurait un gouffre. Un vide abyssal que, chaque jour, il désespérait de combler.

On avait essayé de stimuler sa mémoire, mais rien n'y faisait. Noms, dates, lieux, visages… Tout lui demeurait étranger. Il vivait dans le noir, et plus les mois passaient, plus l'angoisse l'étreignait.

Kate alla discrètement le rejoindre.

— Bonjour…

— Bonjour, Kate.

Depuis le jour où il avait eu la surprise de découvrir cette étrangère à son chevet, Paul avait appris son nom et la nature de leur relation passée.

— On t'a dit que, lorsque vous étiez plus jeunes, Timmins et toi étiez coéquipiers ?

Trudel hocha la tête.

— C'était ton mentor…

Kate pointa du doigt une petite bonne femme postée près du cercueil.

— C'est Élisa, sa femme. Vous étiez très proches.

Trudel la détailla pendant un long moment. Il ne se souvenait pas plus d'elle que de Kate à ses côtés. Il soupira lourdement.

— Il faut être patient… Ça va revenir, dit-elle en lui pressant affectueusement le bras.

Trudel réagit à son contact. Pas comme à un geste d'affection bienvenu, mais comme à une intrusion dans son espace personnel. Kate retira aussitôt sa main.

— Désolé…, dit Trudel.

Il ne voulait pas blesser cette femme qui lui prodiguait autant d'affection.

— Il paraît que c'est normal que je réagisse ainsi.

Kate esquissa un sourire qui se voulait rassurant, mais la réaction de Trudel l'avait ébranlée. Il ne parvenait pas à entrer en relation avec elle dans le présent. Elle demeurait une étrangère venue du passé pour le hanter.

Le pasteur avait terminé son sermon. Élisa Timmins déposa une gerbe de lavande sur le cercueil, puis le corps fut mis en terre.

— Lieutenant McDougall ?

C'était le préposé du centre de réadaptation.

— Je dois ramener l'inspecteur. C'est l'heure du changement de quart…

Kate hocha la tête puis s'adressa à Paul.

— Élisabeth peut-elle passer te voir ? Ça te plairait ?

À la mention de la fille de Kate, le visage de Trudel s'éclaira.

— Oui, oui… Dis-lui que je l'attends…

Puis, il indiqua au préposé qu'il était prêt à partir.

Kate les regarda s'éloigner et songea que sa fille était une véritable bénédiction pour Paul. Elle est l'unique personne, conclut-elle, avec laquelle il réussit à se créer un présent qui ne craint pas l'absence du passé.

Kate soupira.

— Il y a un problème ? demanda le sergent Labonté, qui, avec les sergents Jolicoeur et Dawson, s'était approché d'elle.

Kate accompagna Paul du regard encore quelques instants, puis elle demanda tristement :

— Combien de temps encore croyez-vous que nous pourrons protéger Trudel ? Ça fait déjà quinze mois…

Les trois hommes haussèrent les épaules presque simultanément, incapables de lui répondre. Comme elle, ils s'inquiétaient pour leur collègue. La SQ ne pouvant assumer l'entièreté des frais de surveillance, ils s'étaient relayés à tour de rôle, mais la situation ne pouvait plus durer. Les troupes étaient épuisées. Tôt ou tard, il faudrait qu'ils retournent à leur vie normale.

Kate vit Paul au loin qui s'engouffrait péniblement dans la camionnette du centre. Elle frissonna. Maintenant que l'Artiste avait un mort sur la conscience, qu'est-ce qui le retiendrait de réduire Trudel au silence ? Car, comme elle, Simon Stein devait croire que parmi les informations verrouillées dans le cerveau de l'inspecteur se trouvait sa nouvelle identité.

## MANIFESTE DE L'ANDEV

(Extrait II)

[...]

*Nous sommes des hommes et des femmes mus par une même croyance, celle de la supériorité de la race blanche. De Blumenbach à Vacher de Lapouge, en passant par Gobineau, Chamberlain et même Darwin, les preuves scientifiques pour étayer cette thèse sont nombreuses. L'anatomie comparée, grâce aux sciences de la craniométrie, la céphalométrie, l'anthropométrie et la phrénologie, a prouvé sans conteste la supériorité de la race blanche.*

*Nous croyons fermement que la vérité triomphera un jour de l'ignorance.*

[...]

# 3

Debout à la fenêtre, guettant l'arrivée de Simon, Greta comptait machinalement les lumières de Noël installées dans le gigantesque sapin devant le chalet. Elle soupira en songeant que maintenant que la fête des Rois était passée, ils allaient les enlever. La forêt redeviendrait triste et noire.

Simon et elle étaient frère et sœur, mais ils ne pouvaient être plus différents. Elle était une meneuse pragmatique et froide. Lui avait davantage les traits d'un prophète halluciné. Tout ce qui les unissait était leur passion pour l'ANDEV, le mouvement néo-nazi fondé par leur père, Gustav, dont Simon avait pris la tête quelques années plus tôt.

Greta se tourna vers les sept membres du conseil, réunis autour de la cheminée, attendant impatiemment l'arrivée de leur chef.

Le refuge était au beau milieu d'une forêt de plus de quatre cents hectares dans la région d'Austin. Ils l'avaient toujours appelé « le chalet », parce que la construction était en bois rond, mais quand on y pénétrait il avait davantage l'apparence d'une maison de campagne cossue : murs lambrissés, foyer de pierre gigantesque, lustres immenses…

Vingt ans plus tôt, la terre et les installations appartenaient à un club de chasse sélect dont Gustav Stein était membre. Lorsque le domaine avait été mis en vente, il en avait profité et l'avait acheté par l'entremise d'un prête-nom. Les enfants Stein s'y étaient réfugiés peu avant son suicide, le jour où les forces policières étaient remontées jusqu'à eux.

Greta grimaça.

Le corps de Gustav Stein n'avait jamais été réclamé. Il avait été autopsié, puis quand la justice en avait eu fini, il avait été enseveli dans une fosse commune. Sans cérémonie, sans famille, comme un chien.

Elle ferma les yeux. Ce n'était pas le moment de revisiter le passé. Son père s'était donné la mort pour protéger l'organisation qu'il avait fondée. Il était conscient au moment de mourir que ses enfants ne pourraient jamais lui rendre un dernier hommage. C'était le prix qu'il était prêt à payer pour assurer la pérennité de la race blanche. Greta le savait. Cela dit, quinze mois plus tard, son père lui manquait encore cruellement.

De loin, elle vit l'Audi de Simon qui s'engageait dans l'allée.

À la mort de Gustav Stein, les membres de l'ANDEV s'étaient sentis vulnérables pour la première fois depuis sa fondation, puis la peur avait envahi les rangs quand la SQ était parvenue à retrouver la trace de cinq d'entre eux et les avait interrogés sur la séquestration de l'inspecteur Trudel. Mais lorsque l'enquête policière avait repris de plus belle à la mort de Timmins, un vent de panique avait carrément soufflé au sein de l'organisation.

L'Audi approchait. Greta songea que la réunion allait être houleuse. L'heure des comptes était arrivée, son frère devrait s'expliquer.

— Simon est là, annonça-t-elle.

Même si depuis 1996 celui-ci vivait sous une autre identité, lorsqu'ils étaient en privé, Greta et les membres du conseil l'appelaient encore Simon. Il en allait de même pour Greta, qui avait dû changer de nom peu avant la mort de son père.

La voiture s'arrêta et son frère en sortit, suivi d'une blonde sculpturale. Veronika Schlauss…

Greta eut un rictus de dédain. Veronika était aussi idiote que remarquablement belle.

À plusieurs reprises, elle avait tenté de mettre son frère en garde contre les dangers que Veronika représentait, mais Simon avait toujours balayé ses craintes du revers de la main. « Tu ne comprends pas, disait-il, c'est justement parce qu'elle est idiote que je l'ai choisie. Elle m'obéit au doigt et à l'œil. » Greta lui avait fait remarquer qu'il aurait été facile pour lui de choisir une compagne parmi les autres femmes de l'organisation : elles étaient toutes à ses pieds. Il s'était contenté de lui répondre avec un sourire énigmatique :

— Veronika a certains besoins que les autres n'ont pas.

Greta vit Simon murmurer quelque chose à l'oreille de sa compagne. Le visage de cette dernière s'enflamma aussitôt. Greta se demanda si c'était de plaisir ou de honte…

# 4

La décision fut prise par l'ensemble du poste et l'équipe de l'ECV dut s'y ranger. La SQ se retirant officiellement, ils n'étaient plus assez nombreux pour assurer seuls la surveillance de Trudel.

— Les patrons l'ont averti ? demanda le sergent Labonté au lieutenant McDougall.

— Je m'en suis chargée personnellement.

— Comment il a réagi ?

Kate repoussa ses cheveux en soupirant. La pensée qu'elle aurait dû les attacher la traversa. La trivialité de la chose l'irrita.

— J'ai eu l'impression qu'il était soulagé, avoua-t-elle au bout d'un moment.

— Soulagé ? répéta Jolicoeur. Jésus-Christ... Pensez-vous à ce que je pense ?

Kate regarda par la fenêtre. Même s'ils n'étaient qu'en janvier, la neige fondait à vue d'œil sur l'étang derrière le poste. Elle inspira profondément. Elle aurait voulu que le temps s'arrête. Le temps que Paul retrouve la mémoire, le temps qu'elle mette la main sur l'Artiste...

— *It's that bad ?* demanda Todd Dawson devant son silence.

Kate se tourna vers ses hommes.

— Je pense qu'il préférerait se faire tuer plutôt que de continuer à vivre sans mémoire de son passé.

— Tu as parlé à la psychiatre ? dit Labonté.

— Marquise Létourneau dit qu'il est en dépression et qu'il refuse toute médication sous prétexte que ça risque de l'empêcher de se souvenir.

— Il a raison ?

— Qui sait ? dit Kate en haussant les épaules. D'un point de vue médical, il semblerait que non, mais s'il y croit…

— Alors qu'est-ce qu'on fait ? demanda Jolicoeur, que l'inaction commençait à exaspérer.

Kate se frotta les yeux. Elle était fatiguée. Depuis la mort de Timmins en novembre dernier, quand Simon Stein avait été formellement accusé de meurtre, ils avaient en vain multiplié leurs efforts pour le débusquer. La direction avait fini par conclure que l'homme ne réapparaîtrait pas et que, de ce fait et parce qu'il demeurait sans mémoire, Paul Trudel n'avait « probablement » plus rien à craindre de son agresseur. Kate n'était pas dupe. La SQ, qui n'avait tout simplement pas les budgets pour assumer ce type de protection, s'en lavait les mains. Mais personne ne pouvait jurer que l'Artiste n'était plus dans les parages et que la vie de l'inspecteur Trudel n'était pas en danger.

— Trudel est quand même dans un centre avec son propre système de sécurité, glissa le sergent Labonté. On peut toujours se dire que ce ne sera pas simple pour l'Artiste d'y pénétrer.

— Souhaitons-le…, dit Kate sans conviction.

Puis elle enchaîna :

— Le dossier de l'Artiste n'est pas clos, mais les ordres sont clairs…

— « Passez à un autre dossier ! » termina Todd.

Kate hocha la tête.

Pendant un long moment, tous restèrent silencieux. Ils étaient assommés par leur impuissance. Puis Labonté s'éclaircit la voix et dit :

— On peut quand même tenter un dernier tour de table…

# 5

Même s'il était considérablement en retard, Simon prit le temps d'oxygéner ses poumons avant de s'avancer vers le chalet. Greta remarqua qu'il était parfaitement calme. Cela irriterait les autres.

Son manque d'empathie avait toujours exaspéré son entourage. À l'exception peut-être de leur père, qui, pour cette raison et à cause du goût prononcé de son fils pour la médecine, voyait en Simon le portrait craché du Dr Mengele[1] ; un homme qu'il admirait.

Greta ouvrit la porte, et Simon entra suivi de Veronika, qui disparut aussitôt à l'étage. Sans saluer la compagnie, il prit place au bout d'une longue table en bois rond, au-dessus de laquelle était suspendu un lustre fabriqué de bois de cerfs.

Il y eut un flottement parmi les membres du conseil.

D'un bref mouvement de tête, qui passa inaperçu de son frère, Greta leur fit signe de prendre place. Lenhard Hayden, un Autrichien de quatre-vingt-dix ans passés, membre de l'organisation depuis ses débuts, prit la parole.

---

1. Le Dr Josef Mengele, surnommé l'ange de la mort, se livrait à des expériences sur les prisonniers des camps d'extermination nazis.

— Simon... Vous connaissez l'estime que j'ai pour votre famille. Je vous connais depuis l'enfance. C'est moi qui vous ai tatoué...

Simon Stein replaça automatiquement la montre qu'il avait au poignet, sous laquelle se cachait la marque élective.

— Venez-en au fait, dit-il sèchement.

Lenhard Hayden hésitait. Greta avait insisté pour que le doyen prenne la parole le premier. Son âge canonique et les liens d'amitié qui le liaient à leur père parviendraient peut-être à résoudre cette crise sans trop de dommages.

— Ces agressions, dont on nous accuse..., commença doucement le vieillard.

— Mon père les aurait approuvées.

La tension monta d'un cran autour de la table.

— Il me semble que nous aurions dû être consultés, dit le nonagénaire.

— Quand j'ai pris la tête de l'organisation en 2006, nous nous sommes mis d'accord.

Simon soupesa chaque membre du regard avant d'ajouter:

— Le temps n'était plus aux paroles, mais aux actes.

Greta serra les mâchoires. Il était clair que Simon n'avait pas l'intention de se laisser manipuler.

— Mais il n'a jamais été question d'attaquer des agents de la SQ, insistait maintenant Hans Mauss, un des plus anciens membres du conseil avec Hayden. Encore moins de les tuer!

— C'est de l'hypocrisie, dit Simon froidement. Vous m'avez donné le mandat de passer aux actes. À quoi vous attendiez-vous?

— Hans a raison, avança timidement Josef Schmitt, le plus jeune du groupe. Il fallait quand même demander notre avis. La nature de ces gestes...

L'expression de son visage en disait long sur ce qu'il en pensait.

— Ils ne nous lâcheront plus, maintenant. Ils vont nous poursuivre comme des chiens.

— C'est de la folie..., renchérit Walter Abetz, son voisin de table. Nous ne sommes pas en Allemagne nazie !

— Du calme, intervint le vieil Autrichien. Je suis certain que Simon a des explications. Il n'a sûrement pas agressé ces agents sans réfléchir...

Il y eut un moment d'indécision, puis ils tournèrent tous la tête en direction de leur chef. On eût dit qu'ils espéraient entendre une explication logique.

— Ma philosophie est simple..., commença Simon.

Et il se mit en devoir de la leur expliquer.

# 6

Kate allait-elle faire un dernier tour de table, comme l'avait suggéré Labonté ? Ses sempiternelles questions étaient devenues de véritables séances de torture pour leurs méninges. Elle n'eut toutefois pas à réfléchir longtemps.

— À quoi ça servirait ? enchaîna Jolicoeur, réglant le dilemme de Kate. On a retourné chacun des éléments du dossier dans tous les sens... Ça doit faire cinquante fois qu'on interroge le sergent Théberge, et on n'a trouvé aucune piste.

Le sergent Théberge avait été l'une des victimes de l'Artiste. Ce dernier l'avait rendu borgne, mais il lui avait également tatoué neuf points noirs au fond de l'orbite. Trois rangées de trois points noirs, équidistants à l'horizontale comme à la verticale. Aucune des autres victimes n'avait été tatouée. La chose les avait mystifiés pendant un moment, jusqu'à ce que Théberge leur révèle le pot aux roses. Le tatouage était la marque élective de l'ANDEV, l'organisation néo-nazie à laquelle son père avait appartenu et à laquelle, à seize ans, il avait été forcé d'adhérer. Les points, si on les reliait dans un certain ordre, représentait une croix gammée.

— Jésus-Christ! continua Jolicoeur. Le gars a été séquestré, on l'a énucléé, et il ne dort plus la nuit tellement il a peur. On pourrait peut-être cesser de lui rappeler que son père faisait partie de cette bande de salauds!

Jolicoeur était abattu. Ça ne lui ressemblait pas d'être aussi pessimiste. Kate songea qu'il y avait toujours une enquête de trop, celle qui pouvait mettre fin à une carrière.

— Je sais, dit-elle patiemment. Je ne crois pas qu'il faille interroger de nouveau le sergent, ni même les membres de l'organisation qu'on a dénichés grâce à lui. Il m'apparaît évident qu'aucun d'eux ne nous révélera où se trouve leur chef.

Kate réfléchit un moment avant d'ajouter:

— D'ailleurs, je suis de plus en plus convaincue que l'ANDEV n'est pas «officiellement» derrière les attaques. La surprise des membres lors des interrogatoires n'était pas feinte. Les attaques ont eu lieu à leur insu, j'en suis convaincue. La folie de Stein et de son patriarche ne s'étend peut-être pas aux autres membres de l'organisation.

— Je suis d'accord, dit Labonté. Ils n'avaient pas uniquement l'air surpris quand on les a interrogés. Ils paraissaient avoir peur.

— Et ces gars-là ne sont pas des anges. Les affaires que j'ai entendues..., ajouta Todd, dégoûté.

Kate savait à quoi il faisait référence. La haine qui transpirait dans leurs discours sur les minorités visibles était révoltante, et la virulence des mots qu'ils employaient l'était tout autant. Leurs propos étaient indéniablement haineux, cependant ils ne semblaient pas assez fanatiques pour les traduire en actions. En fait, l'image mentale que Kate s'était faite de l'ANDEV était celle d'un groupe de vieux nazis et de néo-nazis, réunis pour ruminer leur gloire passée.

— S'ils ont peur, ils pourraient finir par lâcher le morceau, suggéra Labonté. Ça vaudrait peut-être la peine de les talonner de plus près.

Kate soupesa la question. Pouvait-elle affecter des hommes à la surveillance des cinq membres de l'ANDEV qu'ils avaient débusqués sans s'attirer les foudres de la haute direction ?

— Mets Lambert et Gosselin sur le coup.

— Deux hommes… Ce n'est pas assez.

— C'est déjà plus qu'on peut se permettre. Qu'ils s'arrangent pour qu'on les remarque. Il ne s'agit pas d'être subtil. On veut qu'ils se sentent coincés. On verra bien comment ils vont réagir…

— OK ! J'arrange ça tout de suite.

Labonté récupéra son veston sur le dossier de sa chaise et quitta la salle de réunion.

— Je me demande…, dit Jolicoeur, qui durant tout cet échange avait eu le nez fourré dans le dossier. Les toiles qu'on a trouvées dans l'entrepôt…

— On les a déjà inspectées à la recherche d'une signature, dit Todd. S'il y avait quoi que ce soit, sur ces toiles, qui puisse nous révéler la nouvelle identité de Stein, on l'aurait trouvé.

— Je sais, les toiles ne sont pas signées, répliqua Jolicoeur, mais je me demandais… Elles sont une signature en soi, non ?

— Je me suis déjà posé cette question, dit Kate. Pour que la toile soit une signature en soi, il faut supposer que Stein a une renommée…

Elle se tut. Avait-elle négligé cette piste parce qu'elle ne pouvait accepter la possibilité que les toiles abjectes de l'Artiste soient considérées comme des « œuvres d'art » ?

— Ça vaut la peine de vérifier, ajouta Jolicoeur. S'il est coté, quelqu'un pourrait reconnaître son style. On saurait alors sous quelle identité il se cache.

Kate consulta Dawson du regard.

— Je ne peux pas croire que quelqu'un achèterait des cochonneries pareilles, dit Todd, mais tous les goûts sont dans la nature. Notre homme a peut-être une réputation. *But it's a long shot…*

— Je sais, conclut Kate. Les probabilités que Stein ait eu assez de talent pour se faire remarquer sont minces. D'un autre côté, réfléchit-elle à voix haute, il ne faut pas oublier que Gustav Stein avait une galerie, donc des contacts. Il avait sans doute les moyens de s'arranger pour que son fils se fasse « remarquer ».

Kate regarda l'heure affichée au mur. Elle avait encore le temps d'appeler Marie-Agnès Vallières au Musée McCord avant le lunch.

Elle respirait mieux. Tant qu'ils auraient des pistes à suivre, la haute direction ne pourrait leur reprocher de garder le dossier actif.

# 7

Selon Simon Stein, l'être humain moyen était incapable de prendre la responsabilité de ses actes. Il cherchait toujours un « méchant » pour le blâmer de son insuccès, de ses échecs, de ses erreurs ; généralement le père ou la mère, mais souvent la société, les institutions ou encore le gouvernement. De ce fait, l'être humain moyen était perpétuellement en quête d'un sauveur, et ceux qui savaient le reconnaître détenaient une arme redoutable. Simon croyait qu'il suffisait d'exacerber le besoin viscéral d'un sauveur dans une communauté pour que celle-ci accueille le premier messie venu.

— En relâchant dans la nature des gens torturés sans raison apparente, terminait maintenant Stein, j'ai installé un climat de peur. Si nous avions pu poursuivre notre travail, le tissu social se serait inévitablement érodé. Avec la méfiance et la crainte qui accompagnent la peur, les individus se seraient divisés au lieu de s'unir, laissant le champ libre à l'apparition d'une voix salvatrice…

Stein sourit.

— L'ANDEV !

Ils étaient tous muets, incapables de décider s'ils étaient en présence d'un fou… ou de la bienheureuse réincarnation d'Hitler. C'était toutefois tentant pour les plus vieux de croire que Simon pourrait être le chef qu'ils attendaient depuis longtemps, celui qui assurerait la suprématie de la race blanche.

— Je ne sais pas pour vous, dit Hayden, dont la fibre blanche et raciste venait de se raviver, mais je ne suis pas prêt à condamner les agissements de Simon. Il aurait été préférable qu'il nous consulte d'abord, cependant posons-nous la question : aurions-nous donné notre accord ? Je ne crois pas. Alors, c'est peut-être mieux ainsi. Nous voulions agir. Il nous a forcé la main.

Greta jura intérieurement. Si Lenhard se rangeait du côté de Simon, personne d'autre ne saurait le convaincre de s'arrêter. Elle jeta un regard à ses compagnons. Heureusement, aucun ne semblait vouloir emboîter le pas.

Dès qu'il avait conçu l'idée de créer une milice de la terreur, Simon avait mis son père et sa sœur dans le coup. Greta, qui ne souscrivait pas à sa théorie du sauveur, avait quand même accepté de faire partie de sa « milice de tortionnaires ». Elle préférait le surveiller de près, sachant qu'elle ne parviendrait pas à le dissuader, maintenant qu'il avait l'aval paternel.

Au début, ils s'étaient contentés de fracturer des membres et de distribuer des coups de couteau, mais au fil des victimes, Simon avait commencé à changer les consignes. Une main tranchée, un œil énucléé… puis il y avait eu les séquestrations de Timmins et de Trudel. Greta avait alors eu la certitude que la satisfaction de son frère à torturer ces hommes n'avait rien d'idéologique. Simon en retirait une joie féroce. Sa perversité, qui avait souvent eu cours dans l'Allemagne nazie, avait choqué Greta. Elle n'était pas de cette école. Elle n'avait jamais partagé l'amour de son père et de son frère pour le Dr Mengele. Elle priait tous les jours pour que son idéologie triomphe, elle était même prête à se battre jusqu'à la mort pour la suprématie de la race blanche, mais ces perversions la révulsaient. Elle les voyait comme une maladie mentale qui réduisait son frère au rang des races inférieures.

— Vos inquiétudes sont injustifiées, continuait maintenant Simon, prenant le silence du groupe pour un assentiment. J'ai planifié les agressions pour que les forces de l'ordre, si jamais elles remontaient jusqu'à la source des attaques, n'y voient qu'une vengeance personnelle contre l'inspecteur Trudel.

Greta s'empressa de préciser la stratégie de Simon.

— Le témoignage de l'inspecteur a largement contribué à l'internement de Simon dans l'affaire de la musulmane stérilisée contre son gré. Dans leur esprit, Simon pourrait avoir fait une fixation sur lui. Un mobile suffisant pour justifier ses exactions…

Greta retint son souffle. Le conseil allait-il mordre à l'hameçon ? Tout ce qu'elle désirait était que la réunion se termine sans carnage. Il ne servait à rien d'attaquer Simon de front. C'était un adversaire redoutable. Mieux valait lui donner l'illusion qu'il contrôlait la situation.

— En aucune façon ils ne peuvent lier l'ANDEV aux attaques, termina Simon. Je vous assure…

— Mais les membres qui ont été interrogés, et ceux qui ont agi sous tes ordres ? dit Maria Oberg, pas du tout rassurée.

Greta répondit aussitôt :

— À part les accusations contre Simon, aucune autre n'a été portée. Les inspecteurs se doutent que mon frère n'a pas agi seul, mais ils n'en ont aucune preuve. Les cinq membres retrouvés et interrogés n'étaient au courant de rien. Ils n'ont donc rien appris d'eux. Même s'ils parvenaient à lier certains membres de la milice aux actes commis, l'ANDEV les répudierait, invoquant qu'ils n'ont pas agi au nom de l'organisation. Mais je doute qu'ils parviennent à leur mettre la main au collet, car j'ai fait en sorte que les dix membres qui ont participé aux attaques soient hors d'atteinte. Ils sont présentement dans un camp de l'Alliance nationale en Virginie.

— Doit-on craindre quelque chose des perquisitions ? demanda Lenhard.

Au moment du suicide de Gustav Stein, des perquisitions massives avaient été faites à la galerie Stein, ainsi que dans le manoir familial où le patriarche s'était donné la mort.

— Père ne gardait aucun document au pays, répondit Greta. Tout a toujours été envoyé en Argentine et remisé dans un coffre. Il n'y a pas d'inquiétude à avoir.

— Et l'entrepôt ? demanda Helmut Luther, l'homme assis à la gauche de Stein. Celui où ils ont trouvé l'inspecteur de police ?

Stein eut un geste d'impatience.

— Simon et sa milice portaient des combinaisons, des bonnets et des gants, dit aussitôt Greta. On n'a donc pas à s'inquiéter. Sur place, les enquêteurs n'ont trouvé que le site opératoire, complètement aseptisé, ainsi que des tableaux non signés de Simon et des planches anatomiques.

L'homme l'interrogea du regard.

— Des planches anatomiques sur lesquelles Simon notait les résultats de ses expériences.

Il y eut quelques murmures, mais personne ne souffla mot. Simon eut un sourire en coin. Ils ont peur de moi, pensa-t-il.

— Excusez-moi, dit timidement Walter Abetz, après un moment. Je dois poser la question. Est-il possible que votre père ait révélé quoi que ce soit avant de mourir ?

Greta fixa son frère avant de répondre.

— On ne peut être certains de rien. Papa, comme vous le savez, était de nature très enflammée lorsqu'il s'agissait de l'ANDEV. Cependant, il s'est donné la mort pour les empêcher de découvrir quoi que ce soit sur nous, alors...

L'homme hocha lentement la tête.

— Bien, dit Simon, pour couper court. Si tout le monde me fait confiance et surtout garde son calme, tout se passera bien.

— Et l'inspecteur Trudel? demanda un des hommes, resté silencieux jusqu'à ce moment.

Greta jura intérieurement.

Simon détailla Karl Linden. Il ne l'avait jamais aimé. Du même âge que lui, arrogant, ambitieux, il le soupçonnait de briguer la tête de l'organisation.

— Je m'en occupe, répondit-il finalement. Cela fait plus de quinze mois qu'il souffre d'amnésie. Même s'il recouvre des fragments de mémoire, je doute qu'il se souvienne jamais de sa séquestration. Le traumatisme est trop grand.

Linden se contentait de fixer Stein. Il était impossible de savoir à quoi il pensait.

— Je m'en occupe, répéta Stein froidement. Tout est sous contrôle. Je vous le répète, il n'y a rien à craindre.

Greta se retint d'ajouter quoi que ce soit, même si elle n'était pas de son avis. Pendant son séjour prolongé dans l'entrepôt, alors que Simon et sa milice jouaient aux tortionnaires, l'inspecteur avait pu emmagasiner une somme considérable d'informations. C'était un enquêteur d'expérience, entraîné à colliger les renseignements. Il y avait très certainement de quoi s'inquiéter si jamais la mémoire lui revenait. C'est pourquoi elle n'avait pas laissé le sort de Paul Trudel entre les mains de son frère. À son insu, elle avait fait surveiller Trudel par des membres de l'ANDEV en qui elle avait entièrement confiance. Depuis son réveil à l'hôpital, tous ses faits et gestes avaient été notés, ses visiteurs répertoriés, et le moindre changement dans son état, rapporté.

Greta observa Simon, qui s'était levé, indiquant ainsi que la réunion était terminée. Il semblait calme, mais ses yeux, qui brillaient d'un éclat fiévreux, le trahissaient.

Greta se mordit l'intérieur de la joue. Son père n'aurait jamais pris les risques que Simon avait pris. Des risques qui avaient fini par coûter la vie à Gustav Stein…

Son regard se voila à cette pensée, et la rage lui monta au cœur.

## MANIFESTE DE L'ANDEV

(Extrait III)

[...]

*Nous croyons à la légitimité de défendre l'espace vital des Blancs.*

*Dans sa théorie de l'évolution, Darwin dit que le monde animal est régi par la loi du plus fort. Une espèce, pour survivre, doit défendre l'espace dont elle a besoin pour vivre et s'épanouir. Il en va de même pour la race blanche.*

*La défense de l'espace vital est un droit inaliénable. Un droit dont la race blanche doit impérativement se prévaloir.*

[...]

# 8

Une fois son rendez-vous pris pour le lundi suivant avec la conservatrice du Musée McCord, Kate avait fait en sorte qu'une des toiles récupérées dans l'antre de l'Artiste lui soit livrée. C'était une huile sur toile représentant le corps en décomposition de Paul Trudel. L'œuvre était franchement horrible. Difficile d'imaginer que quiconque puisse en apprécier le spectacle. Quoi qu'il en soit, c'était une piste, la seule qu'ils détenaient.

Les arrangements faits, l'équipe avait ensuite discuté du résultat des recherches sur les fausses identités sous lesquelles ils croyaient que le frère et la sœur se cachaient. Comme ils s'y attendaient, cela n'avait rien donné. Changer de nom n'était certainement pas un problème pour les membres de cette famille.

N'ayant rien d'autre au menu, ils avaient décidé d'un commun accord d'écourter leur journée de travail et de prendre congé pour le week-end. Ils en avaient tous grandement besoin.

Kate avait profité de ce qu'il restait de l'après-midi pour emmener Élisabeth faire du lèche-vitrine au centre commercial, et elles avaient, comme toujours, abouti devant la vitrine de l'animalerie. Cependant, contrairement à leurs visites antérieures, elles étaient reparties avec une petite bête ébouriffée.

Maintenant recroquevillé au fond de la boîte, les yeux ronds d'effroi, le pelage hirsute, l'animal avait davantage l'air d'une chenille à poil que d'un chat de deux mois. Kate le sortit délicatement et le déposa entre les mains d'Élisabeth.

— Je t'aime, murmura l'adolescente au chaton, le front collé contre son museau.

Kate avait convenu avec sa fille adoptive qu'elle en aurait l'entière responsabilité. Élisabeth devrait le nourrir, changer sa litière, et surtout lui prodiguer de l'amour. Une chose qui avait cruellement manqué à la petite, jusqu'à ce que son destin croise celui de Kate et que celle-ci l'adopte.

— Quel nom vas-tu lui donner ? demanda-t-elle.

Élisabeth observa l'animal. Son poil et sa truffe étaient entièrement noirs. Et dans l'un de ses yeux mordorés, qui sourdaient dans toute cette noirceur, il y avait une petite tache sombre. Une faille…

— Merlin, dit-elle au bout d'un moment.

— Comme le magicien ? s'amusa Kate, faisant référence au mythique enchanteur.

— Oui, répondit la petite avec le plus grand sérieux. Il a des pouvoirs. Il va nous guérir.

Kate fronça les sourcils. Sa fille faisait-elle preuve d'imagination ou était-ce une manifestation de sa schizophrénie latente ? Malgré l'assurance des médecins, malgré sa rémission, Kate s'inquiétait chaque fois qu'Élisabeth démontrait un tant soit peu d'imagination.

— Tu t'inquiètes pour rien, dit sa fille, avant d'éclater de rire sous les assauts du chaton, qui, en poussant à répétition sa truffe noire contre sa joue, semblait la couvrir de baisers.

Merlin, ta magie opère déjà ! songea Kate en retrouvant le sourire. Puis, elle abandonna sa fille à son félin et s'intéressa aux nouvelles que crachait le téléviseur. Quelque part aux États-Unis, un tireur fou venait de blesser grièvement une dizaine de personnes et vraisemblablement d'en tuer trois autres. Kate syntonisa aussitôt CNN, tout en se laissant choir dans un fauteuil. Millie, sa vieille chatte, vint aussitôt se lover sur ses genoux.

— Mais oui, toi aussi tu es magique, murmura-t-elle en la caressant, sans pour autant quitter l'écran des yeux.

Le tireur avait apparemment ouvert le feu pendant une réunion politique à l'extérieur d'une épicerie dans la ville de Tucson, en Arizona. Tout indiquait que la cible du tireur était la représentante démocrate de l'État, Gabrielle Giffords.

Kate connaissait peu de choses sur cette parlementaire américaine, mais elle se souvenait d'avoir lu un article qui la décrivait comme une démocrate centriste et très certainement, avec Hilary Clinton et Sarah Palin, l'une des femmes à surveiller dans la politique américaine. De la graine de présidente, avait-on même écrit.

Qu'est-ce qui, dans un système démocratique, pouvait pousser un être à haïr un politicien au point de vouloir sa mort ? La peur, songea Kate. La peur est un puissant moteur. Peur de ne pas avoir raison, peur de perdre son territoire, son patrimoine… La peur de l'autre. De ce qui est différent de nous. La peur crasse alimentée par les politiciens de tout acabit…

— Ils l'ont tuée ? demanda Élisabeth.

Kate observa sa fille, qui avait les yeux fixés sur l'écran. Elle caressait Merlin, qui ronronnait, enroulé dans ses bras.

— Non. Mais elle est grièvement blessée.

Puis Kate enchaîna, songeuse :

— À qui tu pensais quand tu as dit « ils » ?

Élisabeth la regarda, perplexe.

— Je ne sais pas. J'ai pensé que c'étaient des partisans adverses…

Kate réfléchit aux implications de sa réponse. Le seul fait que sa fille puisse penser que c'étaient les adversaires politiques de la représentante Giffords qui l'avaient abattue était en soi alarmant. La rhétorique de violence employée par certains politiciens de droite n'était peut-être pas ultimement responsable des agissements d'un tireur fou, mais elle créait sans aucun doute un climat de violence assez fort pour que de jeunes cerveaux, ou certains plus obtus, imaginent de tels actes et même leur accordent une quelconque légitimité.

Kate soupira.

— Élisabeth… Prendre la parole, aller voter ou militer pour un parti sont des réponses valables aux attaques de nos adversaires politiques. Pas des agressions armées.

Élisabeth sourit.

— Je sais bien…

Puis, elle ajouta avec sérieux :

— Mais l'Amérique profonde est-elle au courant ?

— Quoi ? balbutia Kate, ahurie.

Elle n'obtint pas de réponse, car Merlin choisit ce moment pour s'échapper, ce qui obligea Élisabeth à le poursuivre, laissant Kate à son étonnement.

# 9

Paul Trudel était allongé sur le lit de sa chambre au centre de réhabilitation, habité tout entier par son absence de mémoire. Ce trou sans fond duquel il ne parvenait pas à s'extirper. Une spirale infernale qui le conduisait de plus en plus loin dans le néant.

Il parvint enfin à se tirer du lit. Il était en nage. De peine et de misère, il boitilla jusqu'à la penderie et changea son T-shirt trempé pour un vieux chandail que Kate lui avait rapporté de son condo de Montréal et qui, avait-elle tenté de lui rappeler, lui était précieux. Il vit son reflet dans le miroir de la porte de la penderie. Le chandail était à l'effigie de San Gimignano, un petit village de Toscane. Cela ne lui rappelait absolument rien.

Il désespéra en silence jusqu'à la fenêtre, croyant que l'animation de la rue lui changerait les idées. Mais le centre était situé dans le petit village dortoir de Perkins, et la rue, à cette heure, était aussi déserte que sa mémoire.

Les recommandations de Kate, venue lui annoncer que la SQ allait cesser sa surveillance dès le lendemain, lui revinrent en mémoire. « Il serait préférable que tu ne sortes pas sans m'avertir, lui avait-elle dit. Je m'arrangerai pour te trouver quelqu'un pour t'accompagner. » Il n'avait rien répondu, mais il savait que ce n'était pas possible. Il n'allait pas passer sa vie à l'appeler chaque fois qu'il voulait bouger. Le jour viendrait où il sortirait seul, et alors l'Artiste…

Un petit rire le secoua.

Quelqu'un dont il n'avait aucun souvenir allait l'abattre pour quelque chose dont il n'avait aucune mémoire. Et le plus absurde était que cette perspective ne l'effrayait pas du tout. Au contraire, il l'appelait. Il la souhaitait. Cette mort ne serait que la suite logique de sa non-existence actuelle.

L'idée lui vint de sortir dans la rue pour tenter le sort.

Il fit quelques pas en direction de la porte, puis se ravisa. Il valait mieux attendre au lendemain, lorsque la nouvelle qu'il n'y avait plus de surveillance se serait répandue. Il se résolut à fouiller pour la énième fois la boîte à souvenirs confectionnée par Kate.

Trudel trottina jusqu'à sa table de chevet, où se trouvait le coffret, et s'assit sur le lit. Il le fixa quelques instants puis, retenant son souffle, il en souleva doucement le couvercle. Il espérait encore qu'un déclic s'opérerait, que sa mémoire reviendrait d'un coup, comme une lumière qu'on allume… Mais rien. Pas une étincelle. Il expira lourdement. Vaincu d'avance, il s'obligea à éplucher une dernière fois les « souvenirs » que Kate y avait déposés.

Il examina d'abord son insigne de la SQ. Son intelligence lui dictait ce qu'elle devait représenter pour lui, mais il ne ressentait rien à sa vue. Il se demandait même quelle sorte d'homme choisissait une profession pareille. Côtoyer la violence au quotidien… Il frissonna. Cette violence l'avait conduit là où il était. Voudrait-il y retourner s'il recouvrait la mémoire ?

Il déposa l'insigne et s'empara d'une photo où on le voyait en compagnie d'une jeune femme. Au verso, quelqu'un avait écrit : Paul et Julie, avril 2009. Il examina de nouveau la femme. Kate lui avait dit qu'elle était sa compagne au moment de son enlèvement et lui avait raconté comment, par le passé, Julie et elle s'étaient disputé son affection. Il ne se souvenait de rien. Même l'idée qu'elle l'avait quitté depuis le laissait indifférent. La femme était belle, c'était incontestable, mais il ne savait même pas si, aujourd'hui, elle l'intéresserait. Cette pensée lui fit réaliser qu'il ne connaissait plus ses goûts en matière de femmes.

Il laissa tomber la photo et sortit de la boîte un instantané d'Élisabeth. Étrangement, ce cliché le faisait sourire. Il s'interrogeait sur ce fait quand soudain il comprit. Il y associait un souvenir !

Il ferma les yeux.

Des images surgissaient dans sa tête. Un après-midi ensoleillé… Une cascade… Le bord d'une rivière… Le chant des oiseaux… Des rires…

Il s'affola. Il ne parvenait pas à se faire une image complète de la scène. Que des bribes, des impressions… Son cœur s'affola. Sa main se mit à trembler et sa respiration devint difficile. Puis, tout s'arrêta. Le trou noir.

La photo glissa sur le plancher comme il s'écrasait par terre à côté du lit.

# 10

Simon avait consigné les résultats de ses expériences dans un cahier noir, qu'il gardait caché. De toute évidence, Veronika savait dénicher les cachettes, car elle était présentement en train d'en feuilleter les pages, recroquevillée sur le lit. Elle avait les yeux ronds d'effroi.

— Ça te plaît ? demanda-t-il, malin.

Elle sursauta en entendant sa voix.

— C'est quoi, tout ça ? C'est... horrible.

Il lut de la peur dans ses yeux, et ce constat le fit réfléchir.

Veronika l'avait surpris pour la première fois lorsqu'elle lui avait susurré à l'oreille ses fantasmes sexuels. Il n'aurait jamais pu croire que cette jeune aryenne de bonne famille avait un tel penchant masochiste. Son étonnement s'était vite transformé en plaisir. Aujourd'hui, sa réaction apeurée le surprenait de nouveau, mais ne lui procurait aucun plaisir. Sa sœur avait raison. Cette femme était imprévisible.

— C'est quoi ? insista-t-elle avec un léger trémolo dans la voix.

Il la toisa avec froideur, se demandant s'il ne serait pas plus prudent de s'en débarrasser. Il pourrait en trouver une autre pour la reproduction.

— Simon, tu me fais peur. Réponds-moi.

— Des notes pour un roman, choisit-il de répondre, remettant à plus tard son projet.

La femme rit stupidement.

— J'ai cru que tu allais…

— Tu ne devrais pas penser, la coupa-t-il. Ça ne te réussit pas.

— Idiot, dit-elle, en lui tendant la main pour qu'il la rejoigne au lit.

Il se prêta au jeu et vint se caler contre les oreillers.

— Tu écris un roman…, dit-elle avec excitation. Tu m'avais caché ça.

Il eut envie de rire, songeant qu'elle ne connaissait rien de lui. Si ce n'était ses goûts en matière de sexe.

— Je n'ai pas envie d'en parler. J'ai envie de t'entendre, toi, dit-il en lui empoignant la tignasse.

Veronika hurla.

Dans le corridor, Greta Stein s'arrêta net. Ce n'était pourtant pas le premier cri qu'elle entendait provenant de la chambre de son frère. Elle y était habituée. Cependant, il lui semblait que la fréquence de ces cris augmentait et qu'ils devenaient de plus en plus « réels ».

Elle eut un rictus de dégoût.

Les étranges pratiques sexuelles de son frère avaient débuté tôt dans l'enfance. Il avait six ans lorsqu'elle en avait été témoin pour la première fois. Elle l'avait suivi, à son insu, jusqu'au bout de la grande propriété familiale, où se trouvait une serre en décrépitude, dont l'accès leur était formellement interdit. Simon, qui avait déjà un ascendant sur le sexe opposé, avait convaincu sans difficulté sa jeune cousine de l'y rejoindre. Cachée derrière un buisson, Greta avait assisté à la scène.

Cela avait commencé par des : « Je te montre ceci si tu me montres cela. » Puis, très vite, ils étaient passés aux attouchements. Sein, pénis, vulve… La chose ressemblait davantage à un inventaire d'organes qu'à un acte sexuel, jusqu'à ce que son frère pince le bout du sein de sa cousine. Celle-ci avait crié, et l'érection de Simon avait été immédiate. Alors les jeux, jusque-là innocents, avaient pris une autre tournure.

Greta avait vu pour la première fois à quel point son frère pouvait se transformer. Il était passé de petit agneau séduisant à loup féroce en quelques secondes. On eût dit deux garçons différents.

Malgré ses protestations, Simon avait acculé sa cousine contre une poutre, se pressant contre elle, triturant à répétition le bout de son sein découvert. Plus la jeune fille piaulait, plus il se frottait avec rudesse contre elle. Il avait finalement éjaculé sur sa jupe rose, puis s'était enfui en courant.

Greta et sa cousine n'en avaient jamais parlé à personne. Elles n'étaient pas censées se trouver là.

# 11

Kate n'en revenait toujours pas. Elle n'ignorait pas que sa fille de quinze ans, en raison de son passé et de sa maladie, était d'une grande maturité sous certains rapports, mais de là à avoir des opinions politiques aussi pointues ?

Elle voulut aller l'interroger dans sa chambre, où elle faisait la chasse au chaton, mais Sylvio Branchini choisit ce moment pour frapper à sa porte.

— Entre, c'est ouvert, lança Kate en allant à sa rencontre et à celle d'Isabella, la plus jeune fille de Sylvio. Vous arrivez tôt. Je ne vous attendais pas avant vingt heures.

— Je voulais quitter Montréal avant que le trafic du week-end envahisse le pont, dit Sylvio en l'agrippant par la taille. Viens ici, que je te montre à quel point je me suis ennuyé de toi…

Et sans perdre une minute, il l'embrassa goulûment.

— Ouach ! dit Isabella avant de fuir en direction de la chambre d'Élisabeth, où elle était sûre de la trouver.

Sylvio éclata de rire.

— Elle a raison, dit Kate, encore toute rouge d'émotion. Tu devrais limiter tes transports devant les enfants.

Sylvio prit un air moqueur.

— Ça te dérange encore plus qu'elle… Avoue !

— Tu m'énerves, dit-elle à la blague en se dirigeant vers la cuisine. Tu veux un Virgin Ceasar ?

— Avec plaisir, répondit Sylvio en la talonnant jusqu'au comptoir de cuisine, pour ne pas perdre une seconde la vue appétissante de ses courbes.

Même si l'alcool n'était pas un problème pour lui, Sylvio avait pris l'habitude de ne pas en consommer lorsqu'il était chez Kate. C'était sa façon de la soutenir dans sa lutte pour demeurer sobre. Kate, de son côté, avait insisté pour qu'il ne change rien à sa routine lorsqu'ils étaient chez lui à Montréal. Sa façon de lui montrer comme elle l'aimait.

Leur relation était née en dépit des tourments de Kate ; parce que Sylvio était un ami de longue date, parce qu'il avait été le mari de sa meilleure amie, décédée d'un cancer, et parce qu'il était le père de trois enfants qu'elle adorait littéralement. « *Tu sei già famiglia* », avait dit Sylvio en se déclarant. Tu es déjà de la famille…

Kate avait tergiversé longtemps, craignant ses démons comme la peste, persuadée qu'elle ne serait pas capable de les tenir en laisse. Convaincue qu'elle tromperait Sylvio avec le premier mâle venu, incapable d'affronter l'amour à froid, sans alcool ; impuissante devant sa compulsion à anesthésier ses sentiments par le sexe. Mais sa soif de lumière et sa volonté de laisser derrière elle les ténèbres de son enfance l'avaient finalement menée à bon port. Sans compter ses trois ans de thérapie avec la psychiatre Marquise Létourneau.

— Comment a été ta semaine ? demanda Kate en lui tendant son verre.

Sylvio était pathologiste en chef à la morgue de Montréal. Il y pratiquait des autopsies, mais il était également responsable de l'administration de l'unité. Cette tâche à elle seule le harassait. Le département était, depuis toujours, cruellement en déficit de personnel et de fonds.

— Chaque jour me donne une raison de plus de vouloir prendre ma retraite et venir m'installer avec toi à la campagne, répondit-il en l'enlaçant. Et si on se retirait dans ta chambre pour parler de tout ça ? demanda-t-il, une étincelle sans équivoque dans l'œil.

Kate rougit. Un phénomène qu'elle n'avait jamais connu avec un autre homme. Arrête d'avoir l'air d'une vierge offensée, songea-t-elle. Paul rirait de toi…

Cette pensée la bouleversa.

— Qu'est-ce qu'il y a ? dit Sylvio, remarquant qu'elle avait soudain changé d'air. Qu'est-ce qui se passe ?

— Viens…, offrit-elle en guise de réponse.

Elle l'entraîna au salon, où ils prirent place sur le divan. Kate lui annonça que la SQ avait retiré les hommes affectés à la protection de Paul.

— Ses chances ? demanda Sylvio au bout d'un moment, aussi atterré qu'elle.

Kate haussa les épaules.

— On nage dans l'inconnu… C'est désespérant.

Elle lui confia qu'elle redoutait que Paul ne retrouve jamais la mémoire, et combien elle craignait pour sa vie. Mais surtout, elle lui avoua sa peur de ne pouvoir jamais rien faire pour lui.

Sylvio l'écoutait avec attention. Il n'avait pas de réponse toute faite à lui offrir. Il ne pouvait que lui ouvrir ses bras pour qu'elle vienne s'y réfugier.

Ce qu'il fit.

# 12

Son cœur battait à tout rompre lorsqu'il sortit du centre de réadaptation. Il fut surpris de constater que l'excitation qu'il tirait de sa courte visite était incomparable.

Simon avait évité de se trouver en présence de l'inspecteur Trudel depuis sa séquestration. Il s'était contenté de s'informer à distance sur son état de santé. Cependant, il avait été forcé de se rendre compte que, depuis le retrait des agents de la SQ, la moindre question sur l'état de Trudel était devenue suspecte. Il était évident que le personnel avait reçu des consignes. Il lui faudrait donc dénicher lui-même les renseignements dont il avait besoin.

Ce n'était pas parce qu'il craignait Trudel, comme les pleutres de l'organisation, qu'il cherchait à se renseigner sur lui. Il était curieux, c'est tout. L'homme était une expérience inachevée, et il n'aimait pas qu'une boucle ne soit pas bouclée.

Pénétrer dans l'édifice n'avait pas été difficile, il connaissait la majorité des infirmiers et bénévoles qui y travaillaient. Il n'avait eu qu'à leur raconter qu'il allait rendre visite à l'un des résidents. Personne n'avait posé de questions.

Il s'était donc rendu au poste infirmier, situé au centre de l'aile gauche, où logeait Trudel. Il savait qu'il ne pourrait pas obtenir ouvertement les informations qui l'intéressaient, mais il ne s'en inquiétait pas. Il connaissait une infirmière d'un certain âge qui en pinçait pour lui. Il s'en servirait. Au préposé derrière le comptoir il avait demandé où Suzanne se trouvait. L'homme lui avait indiqué qu'elle était en pause et serait de retour dans peu de temps. Stein l'avait remercié, puis s'était, mine de rien, attardé à la porte de la chambre située à la gauche de l'îlot infirmier. L'occupante fut ravie de troquer sa solitude contre une conversation sur la pluie et le beau temps avec un « beau jeune homme » – elle avait quatre-vingt-dix-sept ans. Simon, lui, se félicitait de pouvoir surveiller l'arrivée de l'infirmière Suzanne en toute quiétude.

Son plan avait changé du tout au tout lorsque la porte d'en face s'était ouverte toute grande pour laisser le passage à Paul Trudel.

Simon avait d'abord cru à une méprise, car la chambre de l'inspecteur était située au bout de l'étage, mais quand Trudel avait tourné la tête pour saluer quelqu'un demeuré invisible à l'intérieur, il avait compris qu'il rendait visite à un autre résident. Ses sens en alerte, Stein avait voulu profiter de ce moment pour s'esquiver, mais Trudel s'était tourné vers lui avant qu'il en ait le temps.

Leurs regards s'étaient croisés.

Stein avait alors eu l'impression que quelqu'un lui avait scié les jambes. Son cœur, qui s'affolait une seconde plus tôt, battait maintenant avec la lenteur d'un escargot, résonnant sourdement derrière ses tempes. Le temps était soudain devenu élastique. Puis, comme par magie, il avait repris son cours. Trudel s'était éloigné dans le corridor.

Il ne l'avait pas reconnu.

Simon s'était empressé de sortir sans demander son reste. Il était certain que Trudel n'était pas une menace immédiate. Il pouvait attendre que la pression policière diminue avant de régler son cas.

Savourant maintenant les derniers effets de la décharge d'adrénaline que lui avait procurée sa rencontre, il se demandait s'il ne serait pas intéressant d'évaluer scientifiquement les taux d'adrénaline des sujets soumis à la torture. Il conclut que oui et prit note d'en faire l'expérience avec ses prochaines victimes.

# 13

Quand Sylvio était au chalet, les petits déjeuners prenaient toujours des allures de festin. Ce matin-là, il avait pressé des oranges, fouetté une super omelette, qu'il servirait avec du pain de ménage grillé, et il avait même fait un chutney aux canneberges et à l'orange pour l'accompagner.

— C'est prêt, lança Sylvio à la cantonade, en déposant l'omelette sur la table.

— *Cool!* dit Élisabeth en voyant la bouffe. Ça va changer des rôties au beurre d'arachide... La spécialité de Kate.

— Martyre! répliqua Kate en prenant place à table.

— Chanceuse! ajouta Isabella, la fille de Sylvio. Moi j'en prendrais bien, une fois de temps en temps.

Kate et Sylvio échangèrent un regard, puis le fou rire éclata. Ils mangèrent avec appétit, devisant de tout et de rien, heureux d'être ensemble.

Le déjeuner fini, les filles se précipitèrent dans la chambre de Beth pour s'amuser avec Merlin. Kate et Sylvio, écrasés dans le divan du salon, un expresso bien tassé à la main, s'intéressèrent aux dernières informations à la télé. Le sujet du jour était bien entendu l'attentat contre la parlementaire Giffords. Apparemment, elle avait survécu à son opération au cerveau, et les médecins avaient bon espoir qu'elle s'en remettrait.

— Mais dans quel état..., murmura Kate.

Sylvio savait qu'elle songeait à Paul Trudel.

— Il ne faut pas désespérer, dit Sylvio. La vie nous réserve des surprises parfois...

Kate eut un maigre sourire.

— Je sais..., dit-elle.

Puis, elle tenta de se concentrer sur le reportage en cours, ce qui lui rappela la scène de la veille avec Élisabeth. Elle raconta à Sylvio comment sa fille avait réagi à la nouvelle.

— Elle a dit ça ? dit-il, aussi étonné que Kate l'avait été. Elle a dit : « Amérique profonde » ?

Kate hocha la tête.

— Ça doit venir de Marie Lampron...

— Sa professeure privée ?

— Je ne vois pas qui d'autre.

— Il y a toujours Internet, réfléchit Sylvio.

— Quand même, c'est un raisonnement qui ne me semble pas de son âge...

Sylvio rit.

— Quoi ?

— Tu t'inquiètes quand elle agit en bébé, tu t'inquiètes quand elle agit en adulte... C'est une adolescente, Kate. C'est ce qu'elles font, par définition... valser entre l'enfance et la vie adulte.

— Je sais, mais sous certains côtés... ce n'est qu'une enfant.

— Une enfant qui grandit vite, ajouta Sylvio. Élisabeth a presque rattrapé tout le temps perdu. Elle est intelligente, notre Beth.

— Une chance que tu es là, dit Kate en soupirant. Tu es une vraie mère pour moi.

— Oh, non, dit Sylvio, l'œil malicieux, en lui retirant sa tasse des mains. Une mère ne te ferait pas ce que je vais te faire…

— Arrête, dit Kate, cherchant plus ou moins à l'éloigner, les enfants…

Trop tard, Sylvio avait déjà glissé une main entre les pans de sa robe de chambre. Kate gémit.

— Ce sont les seuls sons que je veux entendre de ta bouche, murmura-t-il à son oreille, déplaçant lentement ses doigts vers son sexe.

Comme toutes les fois qu'ils faisaient l'amour, Kate était projetée dans un monde de sensations qui lui étaient encore étrangères. L'amour que Sylvio lui prodiguait décuplait son plaisir, gonflait son cœur, jusqu'à lui donner l'impression qu'il allait éclater…

Le cellulaire de Kate carillonna.

— *Shit!* c'est le poste, dit-elle entre deux gémissements. Faut que j'y aille…

— Pas avant que j'aie terminé, murmura Sylvio.

Puis, il se faufila entre ses jambes pour dévorer son sexe.

# 14

Sylvio avait décidé d'accompagner Kate sur la scène du crime. Sa présence n'était pas requise, mais il s'était dit qu'il pourrait lier l'utile à l'agréable : profiter du bienfait d'une marche en forêt tout en passant du temps avec elle.

Il se félicita de sa décision en arrivant sur la scène. Ce n'était pas le premier cadavre « étrange » qu'il avait vu dans sa carrière, mais sûrement un des plus intéressants.

— *Shit!* dit Kate à la vue du corps. Qu'est-ce qu'il lui est arrivé ?

Le sergent qui avait été appelé sur les lieux le premier s'éclaircit la voix avant de déclarer :

— Il ne devait pas être enterré très profond. Avec le peu de neige accumulée et le redoux des derniers jours, il est remonté à la surface. Comme un nid-de-poule, ajouta-t-il en riant.

Kate le toisa.

— C'est un certain Pierre Morin qui l'a découvert, dit-il, se dépêchant de consulter son carnet. Il faisait de la raquette dans le coin.

— Merci, dit Kate.

Elle alla rejoindre Sylvio, qui discutait à l'écart avec le sergent Todd Dawson et des membres de l'Identité judiciaire.

— Qu'est-ce qu'on sait ? dit-elle à la ronde.

— On est dans un marais, dit un des gars de l'Identité. Le tueur devait croire que le corps disparaîtrait. La nature lui a joué un mauvais tour.

Kate regarda en direction du cadavre.

— Il n'est pas très décomposé pour un corps qui a séjourné longtemps dans l'eau…

Elle consulta Sylvio du regard.

— C'est parce qu'il est dans un processus de momification.

— *What the f…*, commença Todd.

Kate soupira. Des momies maintenant…, songea-t-elle.

— Le marais a une épaisse couche de sphaigne, dit Sylvio. Un corps enterré dans cette mousse est privé d'oxygène. Les bactéries et les insectes sont alors incapables d'accomplir leur travail de décomposition. De plus, la mousse de sphaigne est un produit riche en oligoéléments et en acides humiques, des régénérateurs et conservateurs tissulaires.

— Une momie, dit Todd, encore incrédule.

— Le criminel a dû choisir l'endroit parce que c'était plus facile de creuser…, dit Sylvio.

Kate s'approcha du corps et l'examina. Il reposait nu dans une posture grotesque. Sylvio vint la rejoindre.

— Avec ses articulations qui vont dans tous les sens, dit Kate, il ressemble à un pantin.

— À première vue, on dirait qu'il a fait une chute, dit Sylvio, avant de regarder autour de lui pour trouver d'où il aurait pu tomber.

Kate avait eu le même réflexe. Le marais était entouré de forêt, mais ils étaient dans une clairière.

— À moins qu'on l'ait poussé en bas d'un arbre dans la forêt et transporté jusqu'ici…, commença Kate, notre gars a été tué ailleurs.

— Une chose est certaine, le tueur ne tient pas à ce qu'on l'identifie, ajouta Todd, qui les avait rejoints. On n'a pas trouvé ses vêtements. Pas de traces d'un sac ou d'un portefeuille… Et il y a ça, ajouta-t-il en désignant le visage et les mains de la momie. On dirait que le tueur voulait les effacer.

— Les mutilations sont post-mortem ? demanda Kate à Sylvio.

— Vraisemblablement… mais je ne peux rien confirmer avant l'autopsie.

Kate était penchée au-dessus de l'endroit où aurait dû normalement se trouver le visage de l'homme.

— Ouais, dit Todd. Pas ragoûtant…

Kate interrogea Sylvio du regard.

— Un acide quelconque.

Elle se redressa. Les yeux toujours fixés sur le cadavre, elle dit en secouant la tête, préoccupée :

— Je n'aime pas ça. Je n'aime pas ça du tout.

# MANIFESTE DE L'ANDEV
## (Extrait IV)

[...]

*La suprématie de la race blanche est tributaire de sa pureté.*

*À l'ère de la mondialisation, les frontières deviennent floues. La migration des populations se fait dans tous les sens, d'est en ouest, du nord au sud, d'un continent à l'autre. Le danger de la mixité raciale est plus présent que jamais.*

*Devant l'inefficacité des pouvoirs en place à endiguer le flot des immigrants, la race blanche a le devoir de protéger son espace vital contre la contamination.*

[...]

# 15

La découverte de la momie avait mis fin au projet de week-end en famille de Sylvio.

Kate et son équipe avaient passé le reste de la journée et celle du dimanche à ratisser le marais et les alentours. Ils avaient finalement trouvé une cache, utilisée pour la chasse, dans une des pruches qui bordaient le marais. Ils avaient mis du temps à la découvrir parce que, de l'endroit où reposait le cadavre, il était presque impossible de la voir. Kate et son équipe avaient conclu que l'homme pouvait très bien avoir chuté de l'abri, victime d'une altercation entre chasseurs qui aurait mal tourné ; les mutilations auraient été exécutées pour camoufler l'identité de la victime. Kate espérait ardemment que ce soit le cas. Elle ne voulait pas d'un autre Stein dans les parages.

— Je hais les lundis, dit Kate en étirant le bras pour arrêter la sonnerie de l'alarme.

Sylvio, qui devait conduire Isabella à son école avant de se rendre à la morgue, avait, la veille, réglé le cadran pour cinq heures.

— Allez, debout, dit-il en lui tapotant gentiment l'épaule. Je vais réveiller les filles et préparer le petit déjeuner.

Kate s'étira, remercia le ciel de l'avoir mis sur sa route et s'extirpa du lit pour aller faire ses ablutions.

Moins de deux heures plus tard, Sylvio prenait l'autoroute en direction de Montréal, et Kate était en route pour le poste de Brome-Perkins où, avant de se rendre elle-même à la ville pour son rendez-vous avec la conservatrice du Musée McCord, elle devait faire le point avec son équipe.

Obligée de se garer dans le fin fond du stationnement, Kate était à prendre avec des pincettes quand elle pénétra dans le poste. Le froid intense, qui s'abattait de nouveau sur la région depuis la nuit dernière, n'était pas étranger à son humeur.

— *Shit!* Il ne reste plus de café, dit-elle.

Transie, elle s'était précipitée sur la cafetière sitôt les pieds dans la salle de réunion.

— *Bad hair day?* dit Todd, amusé, en prenant place autour de la table, où attendaient Labonté et Jolicoeur.

Kate ignora la remarque et s'assit à son tour. Elle jeta un coup d'œil sur le dossier de la momie, consulta son carnet, puis s'adressa à Todd.

— Tu as appris quelque chose sur le propriétaire du lot?

— Il appartient à un dénommé Mark Nunnelly.

Il consulta ses notes.

— C'est un professeur d'histoire de l'art. Il enseigne à l'université Bishop.

— Tu l'as interrogé?

— Non, le sergent Jacques s'en est chargé.

— *What?* dit Kate, irritée. Tu as envoyé Maxime Jacques tout seul?

Todd prit son temps avant de répondre:

— Un jour ou l'autre, il faudra bien que tu lui fasses confiance...

Kate allait réagir, mais se ravisa. Todd n'avait pas tort. Elle avait toujours de bonnes raisons pour ne pas inviter le sergent Jacques à se joindre à eux : un rapport à rédiger, une recherche urgente à faire… Elle le tenait à distance depuis son transfert à l'ECV, une semaine plus tôt. Pourtant, le jeune enquêteur avait fait ses preuves au Bureau des crimes majeurs, et vu le manque constant de personnel, elle aurait dû accueillir son arrivée comme une bénédiction. Mais ça n'avait pas été le cas. La personnalité de Maxime Jacques l'irritait au plus haut point. Elle se demanda soudain si elle n'avait tout simplement pas un comportement discriminatoire à son égard, le sergent étant d'origine haïtienne.

— Lieutenant ? l'interrogea Todd devant son mutisme.

Kate se ressaisit et remit à plus tard son examen de conscience sur les sentiments qui l'habitaient à l'égard du jeune Noir.

— Qu'est-ce que Jacques a découvert ?

— Ça lui a pris un moment avant de réussir à faire comprendre à Nunnelly qu'un corps avait été trouvé sur sa terre. Il paraît que le gars avait l'air complètement ahuri. Mais c'est le genre intellectuel…, ajouta Todd, un sourire en coin. C'est peut-être son air normal.

Il y eut un ricanement autour de la table.

— À part son air ? insista Kate.

— Le sergent Jacques a fait sa petite enquête. Mark Nunnelly n'a pas de casier judiciaire, pas de dettes, même pas un point de démérite sur son permis de conduire. Il vit seul, en pleine forêt, depuis la mort de son père en octobre dernier

Todd fourragea dans son carnet à la recherche d'une information.

— En octobre dernier, Peter Nunnelly, le père, a été trouvé pendu à une poutre dans la remise à tracteur.

Kate, qui notait un point, leva les yeux vers Todd.

— Un suicide. Aucun doute possible.

— OK… Autre chose ?

Todd plongea le nez dans son carnet.

— Au Pavillon des arts, où Mark Nunnelly enseigne, on le décrit comme un homme solitaire. Quand il n'est pas à l'université, il paraît qu'il passe le plus clair de son temps dans son atelier ou dans le bois. La directrice a cependant insisté sur le fait qu'il est un excellent professeur.

Kate réfléchit.

— De toute façon, tant qu'on ne sait pas qui est notre momie…, dit-elle au bout d'un moment.

— On ne sait pas si Nunnelly avait une raison de tuer notre homme, termina Todd.

— *Right*.

Elle survola ses notes.

— A-t-on retrouvé les vêtements de la victime ? Ou son véhicule ? Il a bien fallu qu'il se rende au sentier menant à la cache… Quelqu'un a fait des recherches à ce sujet ?

— Je m'en suis chargé, dit Todd. Comme on ne connaît pas la date de sa mort et que, vraisemblablement, elle remonte à l'automne, avant le gel, j'ai vérifié si on n'avait pas trouvé un véhicule laissé à l'abandon dans le coin du sentier, entre les mois de septembre 2010 et janvier 2011. Ma recherche n'a pas donné de résultats. Ou la victime n'était pas en voiture, ou l'assassin s'en est débarrassé. Pour ce qui est des vêtements… Aucune trace.

Kate se massa le front.

Jolicoeur profita du silence pour enchaîner. Il expliqua que Labonté et lui avaient, la veille, retiré la neige sur un périmètre de trois mètres carrés autour de la cache afin de ratisser le sol découvert à la recherche d'indices.

— Tadam ! dit Labonté en déposant sur la table un sachet de plastique transparent.

Il contenait un vieux boulon rouillé et le coin déchiré d'une feuille de papier, sur lequel on pouvait lire les nombres 73 et 4, liés par un tiret.

Kate examina le papier.

— On ne peut tirer grand-chose de ça… soixante-treize tiret quatre… Le numéro d'un document officiel ?

Personne n'avait d'opinion.

— Le boulon s'est probablement détaché d'un vieux traîneau, enchaîna Jolicoeur.

Kate haussa les sourcils.

— À l'endroit où on l'a trouvé, continua-t-il, il y avait deux traces parallèles, gravées dans le sol. Le genre que laissent les anciens traîneaux de bois avec les patins de métal… On a donc dégagé le sol en direction de l'endroit où le corps avait été retrouvé…

— Et bingo ! s'exclama Labonté. Les traces continuaient en droite ligne… Vu la largeur des sillons, leur forme et leur profondeur, on en a déduit que le corps avait été chargé sur un traîneau et traîné jusqu'au marais.

— Un vieux modèle de traîneau, ajouta Jolicoeur. Comme *Rosebud*… Celui dans le film d'Orson Welles…

Kate et Todd étaient bouche bée. Où Jolicoeur puisait-il toutes ces connaissances ? Il les étonnait chaque fois.

— *Rosebud* ? répéta Todd, amusé.

— Dans le film *Citizen Kane*… le gars, enfant, a ce genre de traîneau… et sur le dessus à l'avant, il y a le dessin d'une rose. Ça ne vous rappelle rien ? Il meurt en murmurant : « *Rosebud.* »

— Donc un traîneau qui date des années cinquante ? dit Kate en riant.

— Incultes ! bougonna Jolicoeur en fourrant le nez dans ses notes.

L'équipe rigola encore quelques instants, puis Kate regarda l'heure.

— Il faut que j'y aille. J'ai rendez-vous avec le capitaine.

— *Problems ?* demanda Todd.

— Non, des trucs administratifs.

Juste avant de quitter la salle, Kate les félicita pour leur bon travail.

— Je vais transmettre tes félicitations au sergent Jacques, lança Todd, au moment où elle passait la porte.

Il eut le temps de voir Kate lui faire un doigt d'honneur avant que la porte ne se referme.

# 16

Élisabeth arborait un large sourire quand elle pénétra dans la chambre de Paul Trudel.

— Quelque chose ne va pas ? dit le lieutenant, étonné de la voir de si bonne heure.

— Au contraire ! dit-elle. Je suis ici pour ta séance de zoothérapie !

Après s'être effondré sur le plancher, Trudel avait mis quelques minutes à reprendre conscience et à se relever. Il n'avait pas glissé un mot de ses fragments de mémoire retrouvée à qui que ce soit. Il craignait que ce ne soit qu'un mirage dans un désert d'oubli. Néanmoins, il avait quand même remis à plus tard son projet de déambuler seul dans les rues à attendre une visite de l'Artiste. Le mirage avait laissé une lueur d'espoir.

— Ma quoi ? dit Paul en refermant la porte derrière Élisabeth.

L'adolescente ne répondit pas, mais ouvrit la boîte qu'elle avait dans les bras et en sortit sa petite boule de poil noire.

— Je te présente Merlin. C'est un magicien. Il va t'aider à retrouver la mémoire.

Il esquissa un sourire et prit la bête dans ses bras, songeant qu'il lui faudrait plus qu'un chat pour ressusciter sa mémoire.

— C'est une nouvelle acquisition ?

— Ça fait deux jours... Je suis en amour, ajouta-t-elle, en pâmoison.

Trudel rit franchement.

— Tu vois ? Tu ris. C'est comme ça qu'il opère. Il nous fait rire, on se détend, et après on se sent bien. Voilà pourquoi on appelle ça de la zoothérapie.

— Tu es savante...

— Pas moi. Marie, ma prof.

— Ah...

Élisabeth ne l'écoutait déjà plus. Elle était occupée à fouiller dans son sac à dos.

— Qu'est-ce que tu cherches ?

— Attends... Tu vas voir.

Trudel se tut, et on n'entendit plus que le ronronnement de Merlin, calé dans ses bras, et le bruissement des feuilles de papier qu'Élisabeth semblait retirer de son sac.

Il ne vit pas tout de suite ce qu'elle concoctait. Ce n'est que lorsque la petite se déplaça sur le côté qu'il découvrit une série de pages arrachées d'un cahier à dessins, et alignées faces tournées contre le couvre-lit.

— C'est un jeu ?

Élisabeth déposa les deux dernières feuilles sans répondre, puis dit :

— Ça y est !

Il y en avait neuf en tout. Trudel pouvait deviner à travers le papier que c'étaient des dessins. Élisabeth retourna la première page. Il s'agissait du visage de Trudel. La ressemblance était frappante.

— Mais...

— Chut ! l'intima Élisabeth.

Il se tut, un sourire aux lèvres.

— Il était une fois, commença Élisabeth, un homme grand et fort…

Elle fit une pause, le temps de retourner le second dessin : son autoportrait.

— ... qui avait une amie, petite et faible. Paul était grand et fort parce que c'était une police. Élisabeth était petite et faible parce qu'elle n'avait que quinze ans et qu'elle était schizophrène.

Trudel était troublé par ce qu'il voyait. La qualité des dessins d'Élisabeth, l'effort qu'elle avait mis à concocter ce jeu de mémoire…

— Paul et Élisabeth, commença-t-elle en retournant une nouvelle feuille, avaient une passion commune…

Sur la page, Élisabeth avait dessiné un gros hameçon. En voyant le dessin, Trudel tangua. Une sensation de vertige s'était emparée de lui.

Élisabeth tourna la feuille suivante : un paysage où coulait une rivière.

Trudel eut la nausée. Comme la dernière fois, son cerveau était assailli par des images de cascades, de rivières… Il inspira profondément.

— Cette passion les avait souvent menés au bord de cette rivière…, continua Élisabeth en retournant les trois images suivantes : Paul et elle assis sur un tronc d'arbre sur le bord d'une rivière, debout dans l'eau de la rivière, pique-niquant sur la rive.

Trudel faillit tomber à la renverse. Soudain, il se rappelait la toute première fois où ils avaient pêché la truite ensemble. Un dimanche ensoleillé, les oiseaux chantaient, la petite riait…

— Tu t'en souviens ? demanda Élisabeth, pleine d'espoir.

Trudel fut sur le point de lui crier que oui, mais son instinct de policier prit aussitôt le dessus.

— J'aimerais ça, car ce serait un beau souvenir, dit-il à contrecœur. Mais je ne m'en souviens pas, non.

Personne ne devait savoir qu'il avait commencé à retrouver la mémoire. Sa vie et celles des autres pouvaient en dépendre.

Élisabeth soupira et commença à ramasser ses dessins.

— Attends, dit Paul, ému par le chagrin de la petite. Si tu me les laisses, peut-être que demain ou après-demain… Il faut être patient, Beth.

Elle lui sourit.

— La patience, je connais, dit-elle en échangeant sa pile de dessins contre son chat. Prends tout ton temps!

Élisabeth mit l'animal dans sa boîte, serra Paul dans ses bras et quitta la chambre en coup de vent, laissant Trudel seul avec son secret.

# 17

Pendant tout le temps que dura le trajet de Perkins à Montréal, Kate s'interrogea sur son manque d'empathie pour le sergent Maxime Jacques.

Elle n'avait pas d'amis parmi les minorités visibles, mais ça ne prouvait rien en soi. Elle cultivait peu d'amitiés, un point c'est tout. De plus, le sergent Jacques n'était pas la première personne de couleur avec laquelle elle travaillait. Au Bureau des crimes majeurs à Montréal, elle avait collaboré avec des femmes et des hommes d'ethnies différentes et, à sa connaissance, elle n'avait jamais eu de comportement discriminatoire. Pourquoi alors le sergent Jacques l'irritait-il autant? Était-ce l'arrogance de sa jeunesse? Sa feuille de route était impressionnante pour un si jeune enquêteur. Peut-être se sentait-elle tout simplement menacée… Elle songea qu'il était facile de confondre la discrimination avec autre chose, et que l'inverse était également vrai. La société bien pensante, toujours prête à culpabiliser les uns et les autres, n'aidait certainement pas les individus à faire la lumière sur leurs comportements. Kate s'esclaffa dans sa voiture. Elle avait peut-être tout simplement perdu l'habitude de vivre dans une société multiculturelle.

Jusqu'à l'arrivée du sergent Jacques, il n'y avait eu qu'une personne de minorité visible dans le village, et c'était la fille adoptive d'un résident.

Kate réfléchissait encore au fait que tout était « blanc » à Perkins quand elle mit les pieds dans le Musée McCord, où l'accueillit un portier d'origine arabe. L'homme dut trouver qu'elle était bizarre, car elle ne cessa de lui sourire tout le temps qu'il mit à la conduire jusqu'à la conservatrice.

— Voilà, dit Marie-Agnès Vallières alors que les portes de l'ascenseur s'ouvraient au sous-sol du musée. Nous voici dans la caverne d'Ali Baba.

Kate avait les yeux grands écarquillés. C'était impressionnant. Partout, des œuvres d'art, des sculptures, des costumes, des artefacts, témoins de l'histoire du Québec et du Canada.

— Par ici, dit Marie-Agnès.

— As-tu eu le temps d'étudier la toile ? demanda Kate.

La conservatrice aurait pu transmettre ses observations par téléphone, mais Kate avait insisté pour se rendre au musée. Non seulement elle avait un autre rendez-vous à Montréal, mais elle tenait à comprendre *de visu* de quelle manière la toile identifiait l'Artiste.

— Non, malheureusement, répondit Vallières. On a des problèmes avec l'exposition qui ouvre dans deux semaines. Je t'épargne les détails. Ah ! La voilà !

L'œuvre faisait approximativement 1,20 mètre sur 1,80 mètre. Le corps en décomposition de Paul Trudel était allongé sur une table d'acier, sous un puissant projecteur. Le spectacle d'un corps en décomposition…

Kate remarqua que, derrière Trudel, dans la pénombre, on avait peint une table sur laquelle étaient alignés des outils chirurgicaux et un gourdin.

Elle frissonna en songeant qu'il s'agissait sûrement du gourdin qui avait cassé les membres de Paul.

— Oui, dit la conservatrice, à qui la réaction de Kate n'était pas passée inaperçue. L'effet est saisissant. On a presque l'impression d'assister à la mort en direct.

Kate songea aux *snuff movies*, ces films pornographiques où l'on tue des femmes sur pellicule, après leur avoir fait subir les pires outrages.

— Verdict ? demanda Kate en se remuant pour se sortir de la torpeur dans laquelle la toile l'avait plongée.

Marie-Agnès Vallières examina le tableau en détail avant de dire :

— C'est le même gars ?

L'année précédente, Kate avait demandé à son amie d'analyser les esquisses que l'Artiste laissait sur les lieux des attaques.

— Oui.

— Encore une vanité[2], constata la conservatrice.

— On dirait que c'est sa marque de commerce.

Vallières continua son examen, puis se tourna vers Kate.

— J'ai demandé à quelques collègues de passer la voir cette semaine… Rien de leur côté. Malheureusement, je ne peux pas non plus te dire si ça ressemble à un artiste en particulier… Que ce soit le trait, la technique utilisée ou la palette de couleurs… Il n'y a rien qui saute aux yeux. Désolée…

Kate était déçue. Heureusement que ce n'était pas l'unique raison pour laquelle elle s'était déplacée en ville. Elle avait rendez-vous pour son évaluation physique annuelle.

---

2. Vanité : en beaux-arts, composition évoquant symboliquement la destinée mortelle des hommes.

Elle soupira.

— Mais tu as raison…, dit Vallières.

— Quoi ? demanda aussitôt Kate.

— Ça ne me surprendrait pas que ton peintre soit connu. Du moins dans le milieu. Le sujet est révoltant parce qu'on connaît le contexte dans lequel la toile a été peinte… mais si la scène était sortie de l'imaginaire d'un autre artiste, on serait en face d'une vanité, exécutée avec un certain talent, je dois avouer.

Kate ne savait pas si elle devait se réjouir ou vomir.

— Qui serait en mesure de me dire s'il reconnaît l'auteur ?

— Isabelle Baccichet. Elle est experte en art contemporain et porte un intérêt particulier aux vanités.

— Tu as ses coordonnées ?

Marie-Agnès sourit.

— Je suis déjà en contact avec elle pour une histoire de fraude. Elle est à New York présentement pour une expertise, mais dès son retour, je lui demande d'examiner ta toile.

Kate la remercia chaleureusement et quitta le musée.

Moins de deux heures plus tard, elle reprenait la route de Perkins, après avoir réussi haut la main son évaluation. À moins que les tests sanguins ne révèlent un mal caché, la SQ allait devoir l'endurer une année de plus.

Pendant le retour, elle songea à Simon Stein. À partir de quel moment avait-il cessé d'être un artiste pour devenir un tortionnaire ? Mais elle ne se posa pas longtemps la question. Elle savait que les deux entités pouvaient cohabiter. L'Histoire l'avait amplement démontré.

# 18

Élisabeth, qui attendait Kate avec impatience, ne lui laissa même pas le temps de se dévêtir lorsqu'elle pénétra dans le chalet en fin de journée. Elle lui claironna la nouvelle dès que celle-ci mit les pieds dans la véranda.

— J'ai gagné ! J'ai gagné le concours !

— Quoi ?

— J'ai gagné le concours organisé par le RAAV.

— Le quoi ?

Élisabeth roula des yeux, l'air de dire qu'elle ne connaissait rien.

— Le rassemblement des artistes en art visuel.

— Ah, bon, dit Kate avec un demi-sourire. Tu ne m'as pas dit que tu participais à un concours…

— Je voulais te faire une surprise. J'ai gagné ! cria-t-elle de nouveau, folle de joie.

Kate se débarrassa de son manteau à la hâte, puis invita sa fille à s'asseoir près d'elle sur le divan.

Élisabeth lui raconta alors que Marie Lampron lui avait fait part de ce concours, environ quatre semaines plus tôt, et l'avait encouragée à y participer. Elle avait d'abord refusé, mais sa professeure avait insisté, lui disant que ce serait bon pour elle, même si elle ne gagnait pas.

Bien sûr, Kate était heureuse pour sa fille, mais elle eut un pincement au cœur. Élisabeth lui cachait la chose depuis plus d'un mois et elle ne s'en était pas rendu compte.

— Qu'est-ce que tu as soumis au concours ? demanda finalement Kate.

Beth courut dans sa chambre et revint avec un duplicata du dessin qu'elle avait envoyé. Elle le tendit à Kate. C'était un portrait de Paul Trudel.

— Mais…

Kate fut incapable de continuer tellement l'émotion l'étreignait. Deux fois dans la même journée, elle avait vu des représentations de Paul Trudel. Elle ne pouvait s'empêcher de comparer les compositions. L'une était une œuvre de haine, l'autre, d'amour.

— C'est très beau, dit-elle enfin. Je suis certaine que Paul sera content de savoir que tu as gagné avec son portrait.

Elle serra sa fille dans ses bras.

— Je suis fière de toi, murmura-t-elle.

Elles restèrent collées un moment avant qu'Élisabeth ne se dégage avec un sourire espiègle.

— Ce n'est pas tout… J'ai gagné un prix.

— Ah, oui ? Quoi ?

— Un cours de dessin à l'université Bishop.

— À l'université ? s'étonna Kate.

Élisabeth rit.

— En fait, c'est dans les locaux du Pavillon des arts de Knowlton. La directrice…

Elle cherchait son nom.

— Louise Jamet, dit Kate, qui connaissait cette femme, reconnue dans la communauté pour son amour des arts.

— Oui, c'est ça ! Elle prête un local à un artiste, qui donne des cours de dessin à des jeunes qui démontrent du talent.

— Et comment comptes-tu t'y rendre ? demanda Kate, inquiète.

— Je peux y aller à pied, répondit l'adolescente en souriant. Marie dit que c'est à environ trente minutes de marche.

— Elle a dit ça, la Marie…

Kate regarda sa fille. Pour s'y rendre, elle devrait emprunter leur rang, mais il faudrait aussi qu'elle longe la route provinciale, où les autos et les poids lourds circulaient à grande vitesse.

— Je ne sais pas…

— Dis oui, l'implora Beth.

Kate savait que sa fille avait besoin de socialiser davantage, et ce cours serait une occasion en or pour rencontrer certains des garçons et des filles avec qui elle se retrouverait sûrement à l'école publique l'automne suivant. Elle ne croyait cependant pas qu'Élisabeth était prête à faire le grand saut.

— S'il vous plaît ! Dis oui !

— C'est beaucoup, ma poulette. Un trajet dangereux, un lieu que tu ne connais pas, des adolescents qui…

Kate s'arrêta. Elle connaissait la cruauté des jeunes.

— Tu ne peux pas me garder enfermée éternellement.

La remarque surprit Kate.

— C'est comme ça que tu te sens ?

Élisabeth haussa les épaules, évitant de répondre.

— Tu es fragile, Beth. Tu as vécu de gros traumatismes, et ton épisode de schizophrénie…

— Mais Marie dit que…

— Marie n'est pas ta mère.

Élisabeth se cabra.

— Toi non plus.

La réplique prit Kate par surprise.

— Je suis prête, insistait maintenant l'adolescente. J'ai envie de commencer ma vie.

Kate n'entendait plus rien. Elle était bouleversée.

— D'accord, dit-elle finalement, optant pour la solution de facilité. Mais il te faudra être très prudente sur la route et suivre mes…

Élisabeth ne l'écoutait déjà plus. Elle s'était emparée du téléphone sans fil et composait un numéro.

— Marie ? Elle a dit oui ! Merci Marie, je t'adore…

Ce furent les derniers mots que Kate entendit avant que sa fille adoptive ne disparaisse dans sa chambre.

Des mots d'affection adressés à une autre.

# 19

Le lendemain, Kate mit deux heures à se rendre à la morgue. Elle aurait préféré ne pas avoir à retourner à Montréal, la brusque chute de température ayant glacé les routes, mais Sylvio avait terminé l'autopsie de la momie, et il lui tardait d'en apprendre les résultats. À son arrivée, comme ni l'un ni l'autre n'avaient encore déjeuné, Sylvio l'entraîna à la cafétéria. Kate mangea sans appétit. Une fois le repas terminé, elle lui confia qu'elle avait eu sa première dispute avec Élisabeth.

— Quand je n'ai pas voulu céder, elle a dit que je n'étais pas sa mère… et avec un ton…

Kate faisait pitié à voir.

— Une réaction d'ado… Elle n'y croit pas, Kate. Ce sont ses hormones qui parlent. Elle a besoin de couper le cordon. Tu vois ? C'est la preuve qu'elle te considère comme sa mère.

Sylvio allongea le bras et prit sa main.

— Tu t'inquiètes pour rien. Je connais ça…

— Mais c'est si soudain ! Un jour, tout est normal, puis… Boum ! C'est ça, la crise d'adolescence ?

Sylvio rit.

— Il s'est peut-être passé quelque chose… Un incident… Ça prend peu de choses à cet âge-là.

— Elle ne va pas à l'école, ne fréquente personne…

— Elle ne faisait pas du bénévolat à Serenity Gardens hier après-midi ?

Kate opina de la tête. Elle tenta un maigre sourire puis se rembrunit aussitôt.

— Elle était tellement contente de m'annoncer qu'elle avait gagné le concours…

— Un concours ?

Kate ne lui avait pas révélé les détails de leur dispute. Elle lui apprit donc que Beth avait gagné le concours du RAAV et, avec émotion, vit le visage de Sylvio s'éclairer de fierté comme s'il s'agissait de sa propre fille.

— Téléphone à Mary Pettigrew, dit finalement Sylvio en déposant ses ustensiles dans son assiette. S'il s'est passé quelque chose au centre, elle sera au courant.

Mary était le cœur de Serenity Gardens, le centre de réadaptation pour les personnes atteintes de maladie mentale, où Élisabeth avait séjourné après sa crise. Rien ne s'y passait sans que Mary le sache.

— Tu as raison. Je vais l'appeler. Après, j'aurai une conversation avec Élisabeth.

— Bonne chance ! dit Sylvio en riant et en se levant pour aller porter leurs plateaux.

Kate soupira et repoussa sa chaise, incapable de repousser ses idées noires.

Dix minutes plus tard, ils étaient dans la salle d'autopsie, gantés et masqués.

— J'arrive, dit Sylvio, qui fouillait parmi une pile de radiographies sur le comptoir derrière Kate.

Cette dernière examinait le corps étendu sur la table de métal. La scène lui rappelait la toile de l'Artiste. Même table en acier, mêmes membres fracturés… Elle se mordit l'intérieur de la joue.

Sylvio s'approcha. Il tendit à Kate les radiographies de la momie.

— La majorité de ses os sont fracturés et ses articulations disloquées.

Elle passa les radios en revue.

— Il pourrait s'être fait ça en tombant de la cache trouvée dans le bois ?

— Cela collerait avec une chute de cette hauteur. Le problème est que je ne peux pas te le confirmer.

— Tu crois que quelqu'un aurait pu lui faire ça ?

Sylvio soupira.

— On a déjà vu pire...

Kate hocha la tête.

— Regarde, dit Sylvio en retournant avec précaution la main gauche de la momie. Les mutilations vont de la paume au bout des doigts.

— Le tueur a voulu effacer les empreintes, conclut Kate.

Son regard s'attarda ensuite sur le visage de la momie.

— Même chose avec le visage, enchaîna Sylvio. On a voulu effacer les traits de la victime.

— Et l'identification dentaire ?

— Possible, mais ne t'attends pas à avoir des résultats avant six à huit mois.

— ADN ?

— Si son empreinte génétique est dans le système, on a ce qu'il faut pour l'identifier. Là encore, ça va prendre un certain temps.

— *Shit !*

Kate réfléchit avant de continuer.

— As-tu pu identifier le produit utilisé pour les mutilations ?

— J'ai fait divers prélèvements. S'il reste une trace du produit, le labo va le trouver. Mais comme je t'ai dit sur place, il s'agit sûrement d'un acide très corrosif. Si j'avais à gager, je dirais de l'acide nitrique.

Kate se massait le front tout en examinant les fractures de la momie. Plus elle s'y attardait, plus elle s'agitait.

Elle ne parvenait à chasser la pensée qui germait dans son esprit.

# 20

La tempête de neige faisait déjà rage lorsque Kate quitta l'édifice de la morgue. Elle avait hésité avant de prendre la route pour Perkins, mais elle avait songé que ce n'était pas le moment de laisser Élisabeth seule à la maison. Si elle avait su qu'elle mettrait près de trois heures pour se rendre chez elle, elle aurait peut-être changé d'idée.

Pendant le trajet, elle eut le temps de réfléchir à l'hypothèse qui se frayait un chemin dans son cerveau. Simon Stein avait-il repris du service ? Ils avaient toujours présumé qu'il avait organisé les attaques contre les agents de la SQ pour camoufler le fait qu'il s'agissait d'une vengeance personnelle contre Trudel, mais s'ils s'étaient trompés ? Si la mort de Trudel n'était pas le but ultime de l'Artiste ?

Kate s'était toujours demandé à quoi correspondaient les planches anatomiques trouvées dans le studio de l'Artiste où Trudel avait été torturé. Elles étaient bourrées d'annotations qui n'avaient rien à voir avec la peinture : degrés Celsius, heures du jour, pourcentages… Puis, il y avait le site opératoire monté au centre du studio. C'était toute une installation pour torturer un seul homme. Stein aurait pu torturer Trudel sur place, en Estrie, comme il l'avait fait avec les sergents Théberge et Timmins. Étaient-ils en présence d'un psychopathe organisé qui n'aurait pas achevé son travail ?

Kate réfléchissait encore à la question quand elle arriva enfin chez elle. Vu l'heure tardive, elle ne fut pas surprise de découvrir qu'Élisabeth était déjà partie pour son cours de dessin. Leur conversation était donc remise à plus tard.

Lorsqu'elle avait téléphoné à Mary Pettigrew sur le chemin du retour, celle-ci avait été ravie d'avoir de ses nouvelles. Elle ne lui avait cependant rien appris d'éclairant sur le comportement de sa fille, si ce n'est qu'elle ne croyait pas la santé mentale d'Élisabeth en cause. « Si la petite était sur le point de rechuter, je m'en serais rendu compte », avait-elle insisté. Des années à côtoyer des schizophrènes, dépressifs chroniques et maniaco-dépressifs avaient aguerri Mary Pettigrew. Elle détectait rapidement le moindre changement dans les comportements de chacun.

Kate rangea son arme de service, se dévêtit et sauta sous la douche. Elle était somme toute heureuse d'avoir le temps de mettre de l'ordre dans ses idées avant de discuter avec Élisabeth. Elle ne voulait pas rater son coup. Elle avait vu trop d'enfants « échappés » par leurs parents dans des moments de crise. Un mot mal choisi, un geste mal interprété… Jusqu'à présent, mon rôle de mère a été assez facile, songea-t-elle. C'est maintenant que le défi commence.

Cette pensée lui enleva aussitôt tout le plaisir de la douche. Elle ne se sentait tout simplement pas à la hauteur de la tâche.

# 21

Élisabeth avait été excitée à l'idée de suivre un cours de dessin, mais elle avait oublié l'effet qu'elle produisait sur les autres. Déjà qu'elle se détachait de la masse avec ses cheveux noirs filamenteux et ses grands yeux bleus qui lui mangeaient presque tout le visage. Si on ajoutait à cela son épisode de schizophrénie et la cruauté de la jeunesse… elle devenait une cible parfaite. En mettant les pieds dans la salle de cours, elle avait tout de suite été l'objet de ricanements et de regards obliques.

Élisabeth regrettait maintenant sa décision et aurait voulu s'enfuir, mais elle choisit de s'asseoir plutôt que de subir les regards cruels qu'on lui jetterait si elle traversait de nouveau la salle pour en sortir. Elle se jura cependant de ne plus jamais remettre les pieds sur le campus.

— Bonsoir…

Élisabeth, qui griffonnait, le visage camouflé dans ses cheveux, leva les yeux en direction de la voix. L'homme lui tendit le plan du cours.

— Mon nom, c'est Manu. Toi, c'est Élisabeth… C'est bien ça ?

Elle acquiesça de la tête.

— Bienvenue, dit-il, avec une intensité qui la troubla.

Il continua sa lente marche parmi les rangs et commença son laïus.

— Pour ceux et celles qui ne seraient pas au courant, Élisabeth a gagné le concours du RAAV.

Il n'y eut pas de réactions immédiates, mais lorsqu'il brandit le dessin par lequel Élisabeth avait gagné le prix, les exclamations d'admiration fusèrent spontanément. Si certains la croyaient « folle », c'était indéniablement une folle avec du talent. Élisabeth afficha un sourire timide, puis rougit en voyant le professeur qui la regardait.

Par la suite, Manu leur expliqua le déroulement de la soirée, puis ils placèrent les tables sur les côtés du local et les remplacèrent par des chevalets, qu'ils disposèrent en cercle autour d'un cube central. Chaque étudiant avait droit au sien. Élisabeth, qui se retrouvait pour la première fois devant un vrai chevalet, oublia sur-le-champ son vœu de ne plus revenir dans cet endroit. Elle était au paradis.

Des feuilles furent distribuées et les étudiants purent commencer à dessiner. Le premier exercice était simple. Sans lever la main de la feuille et sans regarder ce qu'ils dessinaient, ils devaient esquisser le contour de la physionomie de leur professeur, debout sur le cube. Les premiers essais provoquèrent des fous rires çà et là, mais plus les étudiants répétaient l'exercice, plus les esquisses s'amélioraient. Ils apprenaient à utiliser leur cerveau droit, le berceau de l'intuition et de la créativité, selon certains. Élisabeth apprenait aussi qu'elle était de loin la plus douée du groupe.

Lorsque le cours prit fin, elle fut étonnée de constater qu'elle n'avait pas vu le temps filer. Elle ramassa ses effets à contrecœur et quitta le campus.

Elle mit du temps à parcourir le trajet qui la ramenait chez elle. Elle était perdue dans ses rêveries d'adolescente.

Bien sûr, Manu était beaucoup plus âgé qu'elle, mais il était si charmant. Il avait réussi à transformer une expérience pénible en un moment inoubliable.

Élisabeth s'amusa à dessiner son visage mentalement. Il était beau. Pas une beauté plastique, mais celle d'un homme passionné. Il rayonnait quand il parlait d'art. Il avait les yeux en feu. À cette pensée, Élisabeth fut traversée d'un courant délicieux, et une boule de chaleur se logea au creux de son ventre. Elle n'avait jamais rien ressenti de pareil. Toutes les particules de son corps vibraient à l'unisson. Elle entendait son cœur battre dans sa poitrine. Malgré la noirceur, elle s'écarta du chemin pour aller s'appuyer contre un pin centenaire à l'orée du bois.

Les bruits de la forêt craquaient dans l'air comme des feux d'artifice, et, maintenant que la tempête était passée, les étoiles brillaient vivement dans le ciel hivernal. Elle ferma les yeux pour mieux s'imprégner du souvenir de celui qui la hantait.

Il était assez grand, avec des cheveux châtains. Il avait le visage asymétrique, mais pas trop, juste ce qu'il fallait pour casser la perfection. Il portait un jeans élimé et un vieux pull, qui faisaient ressortir le bleu outremer de ses yeux. Il ne portait pas de bijoux, sauf un large bracelet en cuir au poignet gauche. Le détail l'avait séduite.

— Élisabeth !

Elle sortit sitôt de sa rêverie. Kate l'interpellait du bord de la route.

Elle était furieuse.

## MANIFESTE DE L'ANDEV

(Extrait V)

[...]

*La discrimination raciale est un concept basé sur l'erreur fondamentale qu'il n'y a pas de différences entre les races.*

*À partir du moment où on comprend la hiérarchie des races, il n'est alors plus question de discrimination, mais bien de classification.*

*Une race inférieure ne peut s'attendre aux mêmes privilèges que la race qui lui est supérieure. Comprendre son rang dans la hiérarchie est synonyme d'ordre et de bonheur.*

[...]

# 22

Greta Stein était en colère. Elle était certaine que l'aide ménagère philippine avait touché à ses papiers.

— Zia !

La jeune femme accourut aussitôt. Elle ne devait pas avoir plus de seize ans.

— Madame ?

— Je vous ai pourtant dit qu'il ne fallait jamais toucher à rien sur mon bureau. Qu'avez-vous fait de l'enveloppe blanche que j'ai reçue hier matin ?

Zia n'eut aucune réaction. Elle dit simplement :

— Madame pourrait-elle l'avoir mise dans le coffre-fort ?

Greta allait la réprimander quand elle se souvint l'y avoir remisée.

— Vous pouvez disposer.

L'air impassible, Zia acquiesça. Greta crut cependant discerner une lueur de révolte dans ses yeux comme elle se retournait pour quitter la pièce. Elle faillit la rappeler, mais changea d'idée. Elle n'aurait plus à l'endurer longtemps. Son frère et elle devraient bientôt quitter le chalet, et le personnel serait envoyé dans un camp de l'Alliance nationale en Virginie. C'est ce qui était bien avec cette filière philippine d'aides au pair, ils pouvaient en disposer comme ils le voulaient. Personne ne s'inquiétait de leur sort.

Elle sortit l'enveloppe du coffre et en retira le contenu : sa nouvelle identité. Elle se déplaça devant le miroir et approcha le passeport de son visage. Elle n'avait eu besoin que de quelques petites transformations, et maintenant elle ressemblerait à s'y méprendre à la femme sur la photo.

— Karla Brünner, dit-elle à voix haute.

Avec le temps, ils avaient découvert qu'il était plus facile d'usurper l'identité d'un mort que d'en fabriquer une à partir de rien. Le réseau de contrefaçon de l'ANDEV se chargeait donc de voler un maximum de documents appartenant à des Allemands décédés. Ils attribuaient les identités selon les âges et la ressemblance. Quelques petites modifications esthétiques étaient parfois nécessaires, mais cela en valait la peine.

Greta vida ensuite le coffre-fort des documents qui s'y trouvaient : vieux passeports, cartes de crédit, billets de banque de différentes valeurs… Elle conserva l'argent et brûla le reste dans l'âtre. La situation était devenue trop dangereuse pour conserver quoi que ce soit.

Son inquiétude avait monté d'un cran quand elle avait pris connaissance trois jours plus tôt d'un article, paru dans un journal local, qui relatait la découverte d'un corps momifié. Greta ne se serait pas inquiétée outre mesure si elle n'avait pas également lu que le corps de la victime avait de nombreuses fractures. Simon avait aussitôt surgi à son esprit. Son frère était-il l'auteur de ce crime ? Était-il devenu totalement incontrôlable ?

Greta vérifia que tout avait bien brûlé. Satisfaite, elle prit son passeport et se mira une dernière fois avant de quitter le salon.

— Karla Brünner, répéta-t-elle à son reflet.

Elle sourit. Elle en avait fini avec la petite fille zélée qui suivait dans l'ombre de son frère. L'heure de Karla Brünner allait bientôt sonner.

# 23

Kate avait attendu qu'Élisabeth la rejoigne sur la route et l'avait agrippée par le poignet.

— Veux-tu me dire ce que tu faisais ? Ça fait deux heures que tu devrais être à la maison. J'étais morte d'inquiétude. La route est dangereuse, c'était ton premier cours…

Élisabeth fixait la main de Kate sur son poignet.

— C'est comme ça que tu les appréhendes, dit-elle froidement. Tu vas me menotter maintenant ? termina-t-elle en plongeant ses grands yeux bleus dans ceux de sa mère.

Kate relâcha sa poigne. Mon Dieu, songea-t-elle, je ne sais pas quoi faire. Je ne sais pas comment réagir.

— Ne joue pas à la plus intelligente avec moi, parvint-elle à dire. Tu me dois une explication.

Élisabeth n'avait pas l'intention de lui en donner. À vrai dire, elle n'en avait pas. Elle ne comprenait pas elle-même ce qui l'avait poussée à désobéir à sa mère, ni pourquoi elle s'entêtait maintenant à lui tenir tête. Il y avait au fond d'elle cette révolte qui poussait pour remonter à la surface.

— Je ne te dois rien !

Élisabeth n'avait pas fermé la bouche qu'elle regrettait déjà ses paroles. Mais elle ne le dit pas. Pourtant, elle savait que sans Kate elle n'aurait jamais connu l'amour maternel, la joie d'avoir une famille, de se sentir en sécurité…

Kate était désemparée. Elle avait perdu le peu de moyens qu'elle avait pour faire face à une adolescente en crise. Elle ne dit rien et commença à marcher en direction de la maison, Élisabeth sur ses talons.

Elles n'avaient pas échangé un seul mot sur le chemin du retour. Une fois à la maison, Kate lui avait ordonné d'aller se coucher, promettant une sérieuse discussion pour le lendemain.

Au petit déjeuner, Kate avait une fois de plus reculé devant son rôle de mère et avait prétexté une urgence au poste. Elle avait toutefois laissé Élisabeth entre les mains de Marie, à qui elle avait demandé de la surveiller jusqu'à son retour. La jeune fille avait protesté, mais Kate avait été ferme. Elle ne sortirait pas de la maison aussi longtemps qu'elle ne lui fournirait pas des explications sur son comportement. Élisabeth avait lancé : « Pourquoi pas m'emprisonner ? C'est pareil ! » Kate l'avait fusillée du regard, mais n'avait rien répliqué. Elle s'était contentée de quitter le chalet.

Kate n'était pas fière. Elle savait qu'elle aurait dû affronter sa fille la veille ou le matin même, mais elle n'avait pas su comment s'y prendre. Elle était totalement déroutée. Elle n'avait pas porté cet enfant pendant les neuf mois permettant de s'habituer à l'idée, ni lu tous les livres pédagogiques sur le marché. Rien ne l'avait préparée à cela.

Elle songeait justement au désastre de sa propre enfance quand son équipe, y compris le sergent Jacques, pénétra dans la salle de réunion.

— Y a-t-il du nouveau dans l'affaire du marais ? dit-elle sans préambule, soulagée de mettre l'accent sur autre chose que ses problèmes familiaux.

Son équipe échangea un regard qui en disait long.

— J'ai questionné Pierre Morin, dit Todd, le gars qui a trouvé le cadavre. Pas d'antécédents judiciaires, divorcé, il a la garde de ses deux garçons… Il a l'habitude de faire quelques heures de sport chaque samedi matin pour gérer le stress. Le gars a l'air *clean*…

Kate en prit note puis regarda en direction de Labonté et de Jolicoeur.

— Pour la millième fois, dit Labonté, on a perdu notre avant-midi à passer en revue le dossier de l'Artiste.

Kate voulut consulter le sergent Jacques du regard, mais ce dernier, le sourire fendu jusqu'aux oreilles, était occupé à lire un texto sur son téléphone portable.

— Sergent Jacques, dit Kate, irritée, voulez-vous partager avec nous ?

L'homme leva la tête, surpris.

— C'est ma fille, elle…

— C'est votre téléphone de fonction ? le coupa Kate.

Le sergent acquiesça.

— Je ne veux plus être obligée de vous rappeler que les appels et messages personnels ne sont pas permis. Est-ce clair ?

Le pauvre avait l'air d'un enfant pris en défaut.

— Je devais garder ma fille aujourd'hui, avança-t-il timidement. Elle voulait me faire une plaisanterie en me souhaitant un bon samedi de « congé ».

Kate se sentit coupable. Qu'est-ce qui me prend ? songea-t-elle. Moi-même, j'envoie des messages à ma fille à partir de mon portable.

Voilà qu'elle était maintenant irritée d'être irritée par le sergent !

— J'ai une théorie, enchaîna-t-elle avant de mordre quelqu'un.

Elle fit un rapport détaillé de ce qu'elle avait appris à la morgue. Les mutilations aux mains et au visage, l'acide qu'on avait probablement utilisé, les os fracturés et les articulations disloquées qui pouvaient correspondre à une chute ou à l'œuvre d'un tueur sadique...

— Attends, l'interrompit Labonté, je croyais qu'on était d'accord pour dire que le corps avait chuté de la cache ?

— Ça demeure une possibilité, dit Kate, mais ce n'est pas la seule.

— Mais le traîneau ! intervint Jolicoeur.

— Je ne nie pas l'existence des traces. Mais le traîneau, si c'en est un, peut avoir servi à transporter autre chose qu'un homme. Un chasseur pourrait y avoir mis son gibier. Tant qu'on n'a pas mis la main sur l'objet ni trouvé des traces de ce qu'il transportait, ce ne sont que des conjectures.

— Mais on fonctionne toujours à partir de ce genre d'hypothèse, insista Jolicoeur, et honnêtement, elle me semble la plus probable. Deux hommes ont une altercation. L'un pousse l'autre en bas de la cache. Le meurtrier met le corps sur un traîneau pour aller l'enterrer dans le marais, mais comme il veut brouiller les pistes, il mutile la victime avec de l'acide nitrique pour qu'on ne puisse pas l'identifier. La suite nous dira si le geste a été fait sur le coup d'une impulsion ou si c'était prémédité... Mais ça me semble l'hypothèse à poursuivre.

— Possible, dit Kate.

— La mort de la victime pourrait aussi être un accident, suggéra le sergent Jacques. Le propriétaire du lot... le professeur... il aurait pu se trouver dans la cache avec un ami, disons à observer des chevreuils. Son ami glisse et tombe à la renverse par-dessus la rambarde. Pour une raison ou pour une autre… rivalité professionnelle… il couche avec la femme de l'autre… Bref, le prof se dit que personne ne va croire qu'il ne l'a pas fait exprès. Il panique et cherche à couvrir ses traces. Il mutile la victime pour qu'on ne puisse pas l'identifier et enterre le corps dans le marais.

Kate devait admettre que la suggestion du sergent Jacques était intéressante. Les mutilations pouvaient être le réflexe d'un innocent ayant agi sous le coup de la panique. Ce ne serait pas la première fois.

— C'est une hypothèse à considérer, dit-elle, mais je voudrais aussi vous en proposer une autre.

Todd, comme toujours, avait lu dans les pensées de Kate.

— Tu penses à l'Artiste.

Kate s'imprégna de la réaction du reste de l'équipe avant de poursuivre. Il était évident qu'ils y avaient tous songé, mais avaient écarté l'hypothèse.

— Il y a des similitudes. Mutilations, fractures…

— Il n'est pas le seul criminel à mutiler et à fracturer ses victimes, objecta Labonté. La forêt, le marais, le cadavre enterré… Ce n'est pas son *modus operandi* habituel.

— Pourquoi continuerait-il à tuer ? demanda Jolicoeur. C'est après Trudel qu'il en avait.

— Et si on s'était trompés ? S'il ne s'agissait pas d'une vengeance ? demanda Kate. Stein pourrait tout simplement être un fou furieux. Un psychopathe qui a besoin d'assouvir son fantasme…

— Tu parles du chef d'une organisation qui a des ramifications partout au Canada…, dit Labonté.

— Hitler était dérangé, intervint Jacques. Ça ne l'a pas empêché d'être le chef du Parti nazi, de gouverner un pays et d'éliminer six millions de Juifs.

— T'es d'accord avec Kate ? dit Jolicoeur. Tu crois que Stein est un psychopathe ?

— Je dis juste que Stein peut être un psychopathe... *et* mener une organisation.

— Bon point, Jacques, dit Todd, tout en regardant Kate avec insistance.

— Stein pourrait avoir évolué, continua Kate mine de rien. Si je me fie au rapport d'autopsie, selon le degré de momification, le crime aurait vraisemblablement eu lieu l'automne dernier...

— Le changement dans son MO pourrait avoir été déclenché par la mort de Timmins, réfléchit Todd à voix haute. Il ne faut pas oublier qu'avant Timmins il n'avait pas de mort sur sa conscience. L'Artiste a sûrement réagi à la mort du sergent. Peut-être même en a-t-il ressenti un certain plaisir...

— C'est tiré par les cheveux, dit Jolicoeur.

— Pas tant que ça, réfléchit Jacques à voix haute, coupant la parole à Kate sans s'en rendre compte.

Kate se cabra. Sa réaction ne passa pas inaperçue aux yeux du sergent.

— Je... j'ai étudié le dossier à fond avant d'arriver au poste..., dit-il pour s'excuser d'être intervenu. Je voulais être capable de vous aider.

Kate hocha lentement la tête. Elle venait de se rendre compte qu'il n'y avait rien de racial dans son antipathie à l'égard du sergent Maxime Jacques. Elle craignait tout simplement qu'il prenne sa place. Il était jeune, habile et confiant. Elle n'était plus jeune, était de moins en moins confiante depuis qu'elle était sobre, et doutait de son habileté depuis l'affaire de l'Artiste. Pendant une fraction de seconde, elle songea qu'elle aurait préféré être raciste plutôt que vieille.

Kate inspira profondément.

— Continue…

Le sergent Jacques eut un large sourire avant d'attaquer, enthousiaste :

— Supposons que ce soit l'Artiste… Il n'a plus le même MO, mais le crime porte encore sa signature. L'enterrement dans le marais, la tombe peu profonde… Stein voulait qu'on découvre la momie.

— Pourquoi ? demanda Labonté.

— Il veut nous montrer sa toute dernière œuvre. Une vanité… En chair et en os !

— Jésus-Christ ! laissa tomber Jolicoeur.

Le silence devint tellement lourd qu'on aurait pu entendre une molécule se déplacer. Kate attendit quelques minutes avant de parler.

— Labonté et Jolicoeur, vous allez me déterrer tout ce que vous pouvez sur Nunnelly. Todd et Jacques, vous allez vous concentrer sur l'Artiste.

— Mais Jacques a déjà interrogé Nunnelly…, commença Labonté, qui ne trouvait pas ça logique.

— Je veux des yeux neufs sur l'affaire de l'Artiste… ceux du sergent Jacques, en l'occurrence.

Kate jeta un regard à Todd. Il esquissa un sourire, mais se contint d'émettre un commentaire. *Welcome back !* pensa-t-il.

# 24

Une fois les tâches distribuées, Kate avait passé le reste de la matinée et le début de l'après-midi à comparer le dossier de l'Artiste avec celui du meurtre du marais.

Son intuition la trompait rarement, mais cette fois elle hésitait. Et si elle errait ? Si un autre meurtrier circulait librement ? Elle regarda sa montre : quinze heures trente. Elle avait le temps d'aller rouler pour réfléchir avant qu'il soit l'heure de prendre la relève de Marie Lampron à la maison.

Pendant ses longues promenades en voiture dans les chemins sinueux du canton, Kate parvenait presque toujours à mettre de l'ordre dans ses pensées. Elle dérivait sur ces routes de campagne comme à l'intérieur des méandres de son cerveau. Ombres et lumières défilaient devant son pare-brise de la même façon qu'elles se succédaient en elle.

En haut d'une colline, Kate rangea sa voiture sur l'accotement et en sortit. Le froid mordant l'enveloppa, mais cela lui importait peu. Le spectacle qui s'offrait à ses yeux était saisissant. À partir de ce point de vue, la route dévalait en ondulant jusqu'au bas des montagnes qui se dessinaient sur l'horizon. Les champs, de longs rectangles entrecoupés de forêts de pins blancs, étaient figés dans la lumière lunaire de cette fin de journée d'hiver. Kate y voyait toute la beauté et la cruauté du monde. Elle inspira l'air froid à pleins poumons. C'est au sein de ces contradictions qu'elle réfléchissait le mieux.

Elle grimaça.

Depuis quelque temps, il lui semblait que son cerveau était englué dans de la gélatine. Comme s'il se protégeait des mille et une pensées qui l'assaillaient de part et d'autre. Elle songea que l'absence d'alcool avait, avec le bonheur, fait entrer la peur dans sa vie. Bien sûr, elle savait que ses peurs avaient toujours été là, tapies. La différence est qu'aujourd'hui elle les ressentait.

Kate tenta de se concentrer. Les hypothèses mises de l'avant par son équipe étaient valables. C'étaient de bons enquêteurs, en qui elle avait entièrement confiance, mais il y avait trop de coïncidences entre les deux affaires pour qu'elle n'envisage pas l'idée que l'Artiste soit mêlé à celle du marais. Les mutilations, les fractures... Puis, il y avait la momification. Jacques pouvait avoir raison. Stein avait peut-être créé l'œuvre de sa vie. Une vanité en chair et en os...

Tout en piétinant la neige pour activer la circulation dans ses jambes engourdies par le froid, Kate laissa son regard dériver sur le paysage. Elle songeait au fait que la momification était peut-être une technique utilisée sciemment par l'Artiste pour leur envoyer un message. Un message qu'ils n'auraient pas encore décodé. Une vanité figée dans le temps... Le symbole de la destinée mortelle des hommes, figé dans l'éternité du temps. L'Artiste nous démontre son omnipotence, déduisit-elle soudain. Stein nous montre qu'il est celui qui contrôle la destinée des hommes...

Kate s'agita. Elle ne parvenait pas à adhérer complètement à cette hypothèse. Pas plus qu'elle n'adhérait aux autres, d'ailleurs. Dans toutes ses enquêtes, elle avait foncé la tête la première, suivant ses intuitions jusqu'au bout. Mais cette fois, c'était différent. La peur l'habitait. La peur de poursuivre une fausse piste, la peur de mettre la vie de Paul Trudel en danger, la peur de laisser un criminel s'échapper parce qu'elle se serait entêtée sur une mauvaise voie.

Kate frissonna.

Elle regarda sa montre et vit qu'il était temps de rentrer chez elle et d'affronter une autre de ses peurs… les explications qu'elle devait avoir avec sa fille.

# 25

L'Escouade n'avait jamais cessé de chercher les membres de la famille de Gustav Stein, alias Tannenberg, ayant immigré au Québec à la même époque que ce dernier. Si Stein était à l'origine de l'ANDEV, les autres membres de sa famille s'étaient peut-être joints à lui. Par eux, ils seraient peut-être en mesure d'obtenir des informations utiles, peut-être même de trouver l'endroit où se cachait l'Artiste.

La tâche s'était révélée fastidieuse, chacune des branches de la famille Tannenberg s'étant procuré une nouvelle identité pour entrer au Canada. Mais avec l'aide de différents sites web, du Congrès juif canadien et du centre Simon-Weisenthal à Paris, ils avaient finalement retrouvé la trace du seul frère vivant de Gustav Stein, un dénommé Wilhelm Litz. Les sergents Dawson et Jacques s'apprêtaient maintenant à l'interroger.

— On fait comme convenu ? demanda Maxime Jacques en approchant le bungalow des Litz à Ville Saint-Laurent.

Todd n'était pas à l'aise avec la stratégie proposée par son collègue. Ce dernier voulait voir la réaction spontanée de Litz devant un homme de race noire.

— Tu es certain que ça ne te dérange pas ?

— Si c'est pour lui faire cracher le morceau plus rapidement, je ne vois pas de problème.

Todd hésita, puis se dit que le choix appartenait à Jacques. Il haussa les épaules. Ce dernier appuya sur la sonnette et presque aussitôt une jeune femme ouvrit et les accueillit avec un grand sourire.

— Sergent Jacques, de la Sûreté du Québec. Nous désirons parler à M. Wilhelm Litz.

— Grand-papa ! cria la jeune femme en direction du fond de la maison. C'est pour toi !

Elle reporta son attention sur les sergents.

— Je vous reconnais, dit-elle en pointant un doigt vers Jacques. Vous êtes venu à l'école de mon fils parler de taxage. C'était très instructif, ajouta-t-elle avec un sourire. Merci.

Alors qu'il était en poste à Montréal, le sergent Jacques avait effectivement fait du bénévolat dans les écoles.

— Ah…, dit la jeune femme en entendant du bruit derrière elle. Voilà grand-papa. Je vous laisse.

Elle s'écarta de la porte et les sergents virent alors clairement l'homme qui arrivait dans l'entrée. Un nonagénaire au corps fragile surmonté d'une tête à la Albert Schweitzer.

— Oui ? demanda-t-il en arrivant près d'eux, le sourire aux lèvres.

La stratégie élaborée par Jacques n'eut pas le résultat escompté. Todd se chargea des présentations, puis demanda :

— Nous aurions des questions à vous poser concernant votre frère Gustav.

L'homme eut une réaction qu'il ne tenta même pas de dissimuler. Celle d'un homme résigné qui attendait depuis longtemps cette visite.

— Entrez, dit-il. Nous ferions mieux d'avoir cette conversation ailleurs.

Le sergent Jacques allait pénétrer dans la maison quand Todd lui agrippa le bras.

— Tu as bien signalé notre localisation au poste ? demanda-t-il en haussant la voix.

Max n'eut pas besoin qu'on lui fasse un dessin. Le sergent Dawson voulait avoir l'assurance qu'ils allaient ressortir vivants de la maison. Avec l'Artiste en liberté, ils ne pouvaient être trop prudents.

— Ils sont au courant. Ils attendent notre rapport, mentit Jacques.

Les sergents échangèrent un regard, puis suivirent Litz à l'intérieur.

# 26

Kate remercia Marie, puis ferma la porte derrière elle. Elle se tourna vers Élisabeth, qui était écrasée dans le divan, son chat Merlin roulé en boule sur elle. Elle faisait une tête d'enterrement.

— As-tu passé une bonne journée ? demanda Kate, qui avait pris le parti de ne pas attaquer la discussion de front.

— Qu'est-ce que tu en penses ?

Elle ne me donnera pas de lest, comprit Kate. Puis, elle faillit éclater de rire. Élisabeth venait de réagir exactement comme elle l'aurait fait.

— Très bien, dit Kate en s'assoyant sur le fauteuil en face de sa fille. Beth, je…

Kate cherchait par quel bout commencer, puis, tout à coup, elle dit simplement :

— Je n'ai qu'une certitude dans la vie, Beth. Je t'aime plus que tout au monde. Je ne voudrais jamais te perdre.

Cette déclaration la surprit autant qu'elle surprit sa fille.

— Ça n'empêche pas, continua-t-elle, que je n'aime pas ton attitude depuis quelques jours. Ton comportement est inacceptable. Tu répliques, tu me dis des choses blessantes et tu me rends folle d'inquiétude en ne rentrant pas à l'heure. As-tu une explication ?

Kate voyait le combat intérieur de sa fille. L'enfant en elle se chamaillait avec l'adulte. D'un côté, elle voulait continuer de bouder et, de l'autre, elle voulait se réfugier dans les bras de Kate.

— Je m'excuse, dit-elle simplement. Moi aussi, je t'aime.

Kate vint s'asseoir près d'elle et l'enlaça, ce qui fit déguerpir Merlin.

— Tu sais que tu peux tout me dire...

Élisabeth hocha la tête.

— S'il y avait quoi que ce soit, tu me le dirais ?

Nouveau hochement.

— J'étais morte de peur l'autre soir. Peux-tu me dire ce que tu faisais dans le bois ?

Élisabeth voulait bien tout lui raconter, mais ses fantasmes avec son professeur, pas question.

— J'avais envie de regarder les étoiles. Je n'ai pas vu le temps passer. Je m'excuse.

Kate n'était pas rassurée.

— Et le cours de dessin ? Ça s'est bien passé ?

Kate eut l'impression que sa question avait pris sa fille par surprise.

— Oui...

— Tu es sûre ?

— Oui, je suis sûre.

Voyant qu'elle n'avait pas tout à fait convaincu Kate, elle ajouta :

— Au début, j'ai cru que je n'aimerais pas ça, mais après, ça s'est super bien passé. Les élèves ont adoré mon portrait de Paul.

— Et le professeur ? Il était comment ?

— Le professeur ?

Kate rit de l'air ahuri de Beth.

— Tu sais, le gars, assis à l'avant, qui te donne le cours ?

— Bien… euh… Un professeur, c'est un professeur, dit-elle en adoptant le ton blasé des ados pour camoufler sa gêne.

Kate sembla satisfaite de sa réponse.

— Bien, dit Kate en lui imprimant un baiser sonore sur la joue, tu me promets de ne plus t'attarder sur le chemin du retour ?

— Juré !

— Et de me le dire s'il y a quelque chose qui ne va pas ?

— Juré !

Élisabeth ajouta aussitôt :

— Et toi de comprendre que je n'ai plus douze ans ?

Kate la regarda avec tendresse.

— Juré.

Elles s'étreignirent, puis Élisabeth s'éloigna vers sa chambre, à la recherche de son chat.

Kate était contente. Elle avait plus de ressources qu'elle ne le croyait. Surtout lorsqu'elle laissait parler son cœur. Il faudra que je m'en souvienne, conclut-elle en composant le numéro de Sylvio pour tout lui raconter.

# 27

L'interrogatoire de Wilhelm Litz prit une tournure inattendue. En fait, il n'y eut pas de questions, mais une longue confession de l'homme. Comme s'il avait attendu toutes ces années pour livrer son témoignage.

Quand les sergents Dawson et Jacques avaient mis les pieds dans sa maison, il les avait menés au sous-sol, à l'abri des oreilles de sa petite-fille, avait-il insisté. La stature fragile de l'homme ne l'avait pas empêché de leur servir à boire – de l'eau, avaient insisté les sergents – et de s'assurer qu'ils étaient confortablement installés dans les canapés.

Il leur avait avoué s'appeler Wilhelm Tannenberg. Litz n'était qu'un des nombreux noms d'emprunt qu'avait pris la famille Tannenberg en s'exilant au Canada. Les Tannenberg étaient des marchands de tableaux et des sympathisants nazis. Ils avaient pris part au trafic des œuvres d'art confisquées aux Juifs. Certains membres de la famille, comme son frère Gustav, avaient même fait partie des SS. Après la guerre, pour éviter les poursuites de toutes sortes, ils n'avaient pas eu d'autres choix que de quitter l'Allemagne.

Soixante-deux ans s'étaient écoulés depuis ce jour de mai 1949 où ils avaient embarqué sur le bateau qui allait les conduire de l'Allemagne nazie à l'Amérique libre. Depuis, Litz remerciait le ciel chaque jour d'avoir survécu aux horreurs qui avaient précédé cette traversée.

Wilhelm n'avait jamais adhéré à l'idéologie du Führer. Cependant, il ne s'y était jamais opposé. Il avait vu ses plus grands amis, des Juifs, partir un à un vers les camps de travail pour ne plus en revenir. Là encore, il n'avait rien fait, sauf les trahir au quotidien en ne se portant pas à leur défense. Il avait vécu dans l'ombre protectrice de sa famille, attendant lâchement que les choses se tassent, que l'Allemagne reprenne ses sens, mais en vain. Quand finalement le monde extérieur avait réagi, il était déjà trop tard. Le pays de ses ancêtres avait éliminé six millions de Juifs. En demeurant silencieux, il avait contribué à l'éradication de presque tout un peuple.

Le vieil homme fit une pause. Les souvenirs qui remontaient à la surface l'étreignaient. Ses yeux s'embuèrent.

— J'aurais dû m'insurger, dit-il, la voix éraillée. Lutter contre ce fou furieux, mais je n'ai rien fait. Je ne suis qu'un pauvre homme sans courage.

La situation était surréelle pour les sergents Dawson et Jacques. Ils étaient venus à la recherche d'informations sur Simon Stein et se retrouvaient avec la confession d'un complice des criminels de guerre. Il y eut un long moment de silence.

— Vous allez m'arrêter ?

Todd et Jacques se regardèrent.

— On va transmettre l'information aux autorités concernées, dit finalement le sergent Dawson. Ce n'est pas de notre ressort. À moins qu'il n'y ait un mandat d'arrêt contre vous qui soit en vigueur…

Le vieil homme sourit tristement.

— Il n'y en a pas. À la fin de la guerre, ils ont voulu enquêter sur la famille, principalement à cause des activités de mon frère Gustav. Mais quand ils n'ont pas été capables de le retrouver, ils ont laissé tomber. Ils avaient d'autres chats à fouetter. Ils n'allaient pas perdre leur temps avec des trafiquants de tableaux quand Mengele leur échappait...

— L'ange de la mort ? ne put s'empêcher de s'exclamer Jacques.

Wilhelm le fixa.

— C'était un ami de Gustav. C'est grâce à ses contacts qu'on a pu quitter l'Allemagne.

Le silence s'installa de nouveau et perdura jusqu'à ce que Todd demande :

— Connaissez-vous l'ANDEV ?

Litz hocha la tête en soupirant.

— C'est une organisation néo-nazie que mon frère a fondée trente ans après notre arrivée au Canada.

— En faites-vous partie ?

La réponse jaillit comme l'éclair.

— Jamais de la vie ! En arrivant en Amérique, j'ai coupé les ponts avec ma famille. J'étais trop heureux de m'éloigner de toute cette abomination. Aucun des Tannenberg n'a voulu en faire partie. Gustav était un fanatique. On avait tous un peu peur de lui.

L'homme s'arrêta soudain.

— Pourquoi vous me posez ces questions ? Il s'est passé quelque chose ?

Les sergents lui racontèrent les agressions de l'année précédente, et comment ils soupçonnaient Simon Stein, le fils de Gustav, d'en être l'auteur. Litz pâlit et ses mains se mirent à trembler.

— Ça recommence, murmura-t-il. Mon Dieu ! Préservez-nous du mal !

## MANIFESTE DE L'ANDEV
### (Extrait VI)

[...]

*La migration des populations est un danger pour l'économie blanche.*

*Dans les deux dernières décennies, les États-Unis ont vu leur population de couleur augmenter de 30 %. Au Canada, les villes de Vancouver, de Toronto et de Montréal, des plaques tournantes de l'économie canadienne, sont devenues de véritables pots-pourris de races. Dans la province de Québec, même la ville de Québec a suivi avec une immigration massive d'Arabes.*

*Dans tous les cas, les immigrants ont fait main basse sur le marché du taxi. Dans tous les cas, ils ont envahi les secteurs des services domestiques. Dans tous les cas, ils ont pris le contrôle des postes non spécialisés autrefois attribués à de bons travailleurs blancs.*

[...]

# 28

Comme tous les matins, la table avait été dressée sur une nappe blanche en coton égyptien, impeccablement repassée. L'argenterie avait été polie et le service en porcelaine de Limoges étincelait. Les effluves de l'excellent café péruvien fraîchement moulu embaumaient la salle à manger et se mêlaient aux arômes des viennoiseries tout juste sorties du four. Le décorum d'un déjeuner princier, n'eût été l'étrangeté du trio composé de Simon, Greta et Veronika. L'air débonnaire, Simon trônait à une extrémité de la table. À sa gauche, Veronika, pâle à faire peur, exécutait ses ordres, et Greta, le regard impassible, les observait.

Simon décalotta soigneusement son œuf à la coque, puis le sala et le poivra. Il demanda ensuite à Veronika si elle pouvait lui servir une rôtie, ce qu'elle fit non sans mal. À la grimace qu'elle ne put réprimer en lui tendant le pain grillé, il était évident que le geste était douloureux. Simon la remercia, comme si de rien n'était, puis il lui demanda la marmelade. Elle s'exécuta. Même grimace de Veronika, mêmes remerciements innocents de son frère. Simon multiplia les demandes, Veronika répéta les mêmes gestes douloureux.

Greta assistait au manège de son frère depuis un moment quand il regarda finalement dans sa direction.

— Tu ne manges pas ?

Elle s'empara d'une brioche danoise, qu'elle coupa en deux.

— Tu peux prendre l'autre moitié, Veronika, je ne la mangerai pas.

À la surprise de Simon et de Greta, celle-ci eut un haut-le-cœur et dut quitter la table en courant. Greta interrogea Simon du regard. Il balaya l'air de la main et se concentra sur son œuf.

— Qu'est-ce qu'elle a ? insista Greta.

Simon s'immobilisa, visiblement contrarié.

— Rien.

Puis il ajouta avec un sourire indéfinissable :

— Elle a abusé de nos petits jeux, c'est tout.

Greta ne réagit pas. Elle se contenta d'appeler la servante.

— Zia !

La petite Philippine accourut.

— Vous pouvez retirer le couvert de Veronika. Elle a terminé.

Zia enleva le tout, mais oublia une petite fourchette sur la table. Simon lui agrippa le coude au moment où elle passait près de lui. Cela lui arracha un cri de douleur, et elle faillit renverser son plateau. La main droite de Simon se resserra encore davantage sur le bras de la petite, tandis que sa gauche se refermait sur le manche d'un couteau.

— Laisse, dit Greta, qui craignait le pire. Je vais m'occuper d'elle plus tard.

Simon fixait la petite, une étrange lueur dans les yeux. Il relâcha finalement sa pression et Zia s'empressa de quitter la pièce.

Sans un mot, il se concentra de nouveau sur son œuf à la coque.

Malgré le drame à peine évité, Greta n'était pas mécontente de la maladresse de la servante. Cela lui procurait la diversion nécessaire pour aborder le sujet délicat qui la préoccupait : le corps de l'homme trouvé momifié. Elle feignit un long soupir d'agacement.

— On ne peut plus trouver d'aide convenable…

Simon eut un sourire sarcastique.

— Tu veux dire de l'aide blanche ?

Greta acquiesça.

— Chère, chère Greta… La polémique qu'on crée autour de l'économie blanche, c'est pour alimenter la ferveur de nos membres. On leur trouve quelqu'un à blâmer pour le taux de chômage, et ils sont contents. Mais la réalité est que ces tâches, les Blancs n'acceptent pas de les faire. C'est pour ça que les immigrants sont capables de leur « voler » le travail. C'est une dualité qui existait en Allemagne nazie et avec laquelle on devra toujours vivre. L'important est de bien s'en servir pour contrôler les masses.

Greta comprenait très bien la théorie de l'économie blanche, mais elle ne dit rien. Elle avait amené Simon là où elle le désirait, dans cet espace où son sentiment d'omnipotence prenait toute la place, là où il était le plus vulnérable.

— Tu as raison, dit-elle. Tu as toujours mieux compris ces choses que moi. Papa me le répétait sans cesse.

Elle pouvait presque entendre Simon ronronner. Elle leur servit un autre café, puis attaqua mine de rien le sujet qui l'intéressait.

— As-tu vu dans le journal ? On a trouvé une momie sur le terrain du voisin.

Simon ne réagit pas.

— La momification est un procédé assez complexe. Je me demande…

— Pas dans un marais, la coupa Simon. Un corps enterré dans un marais subit naturellement un processus de momification.

Greta le fixa. Simon lui retourna son regard sans sourciller.

— Ça fait partie de tes recherches ? demanda Greta.

Simon soutint son regard.

— J'ai lu l'article. J'ai été intrigué. Passe-moi le lait, veux-tu ?

Greta le détailla quelques instants, puis s'empara du pot à lait et versa quelques gouttes dans le café de son frère. Simon ne l'avait pas convaincue. Il en savait trop sur la momification.

# 29

— Qu'est-ce qu'il voulait dire, Litz, quand il a dit « Ça recommence. Préservez-nous du mal » ?

Kate était en route pour le Musée McCord, en compagnie des sergents Dawson et Jacques, où ils avaient rendez-vous avec Marie-Agnès Vallières et l'experte en art, Isabelle Baccichet. Kate avait tenu à ce qu'ils s'y rendent pour que Jacques puisse examiner les toiles de l'Artiste. Elle voulait un regard neuf, avait-elle répété.

Il y avait déjà quelques jours que les sergents avaient rapporté leur visite à Litz, mais cette phrase du vieux turlupinait Kate.

— Rien de précis, dit Todd. Je pense qu'il faisait référence à l'horreur en général, à la philosophie des nazis.

Kate ne dit rien.

— À quoi tu penses ? insista Todd.

— Je ne sais pas… Je ne sais plus quoi penser. Avec une réflexion comme celle de Litz, je me dis qu'après tout l'ANDEV est peut-être plus active qu'on ne le pense.

— Vous pensez que l'ANDEV est derrière le meurtre du marais ?

Kate se mordit la lèvre. Elle ne s'habituait pas au vouvoiement du sergent Jacques. Elle prenait dix ans chaque fois.

— Non, Jacques, je ne pense pas ça. L'affaire du marais n'a peut-être rien à voir avec rien... Je me dis qu'on a peut-être trois affaires sur les bras : un malade qui a tué pour satisfaire une vengeance, une organisation néonazie qui prépare une offensive... et une affaire de dispute qui a mal tourné. Voilà ce que je me dis !

La conversation n'eut pas de suite, car ils arrivaient au musée. Kate jura car, comme toujours, il n'y avait pas une seule place de stationnement sur les rues adjacentes. Elle opta finalement pour un parking souterrain, où on lui réclama la somme faramineuse de seize dollars. La petite marche dans l'air glacé et pollué de Montréal pour se rendre au musée acheva de plomber son humeur. Cette fois, quand le gardien d'origine arabe les accueillit, elle ne sourit pas.

Isabelle Baccichet était déjà concentrée sur la toile de l'Artiste quand Kate et son équipe, en compagnie de Marie-Agnès Vallières, mirent les pieds dans la salle réservée aux expertises à l'arrière du sous-sol. Quand le sergent Jacques vit la peinture, il recula d'un pas.

— C'est l'inspecteur qui est représenté ? demanda-t-il, une fois remis de ses émotions.

Kate se rendit compte que Jacques n'avait jamais rencontré Trudel. C'est une bien drôle de façon de faire sa connaissance, songea-t-elle. Le voir ainsi représenté, nu sur une table de métal, le corps à moitié décomposé.

— Il a meilleure allure en personne, dit-elle pour alléger l'atmosphère.

La conservatrice fit les présentations.

— Isabelle, voici le lieutenant Kate McDougall.

Les deux femmes se serrèrent la main, puis Kate présenta son équipe.

— Les sergents Dawson et Jacques…

Isabelle Baccichet opina du bonnet.

— Vous êtes prêts ?

Kate inspira et lui fit signe que oui.

Isabelle Baccichet s'approcha de la toile. Au fur et à mesure qu'elle l'inspectait, elle leur décrivait ce qu'elle voyait. Kate songea qu'elle procédait comme Sylvio. Elle autopsiait la toile. L'experte fit des commentaires sur tout. Palette de couleurs, qualité du trait, composition, lumière… Puis, le silence envahit la pièce. On n'entendait plus que le piétinement de l'experte qui allait et venait, comme un métronome battant la mesure du suspense. Elle consulta un livre qu'elle avait apporté et fit quelques recherches sur son portable avant de déclarer qu'elle avait terminé. Kate retint son souffle. Allait-elle enfin connaître l'identité sous laquelle se cachait Simon Stein ?

— Je peux vous dire que l'artiste a du talent, que s'il a fait partie d'une exposition sérieuse, quelqu'un a dû le remarquer, mais malheureusement… je ne peux pas l'identifier.

Kate jeta un regard à Marie-Agnès puis à ses hommes.

— Ça ne vous rappelle absolument personne ?

— Les couleurs, le style, le sujet et le trait sont intéressants, mais ils ne m'évoquent personne en particulier. Soit je ne me souviens pas de l'artiste en question, soit je n'ai jamais vu ses œuvres. Désolée…

Kate mit un moment avant d'absorber la nouvelle. Elle aurait tellement voulu qu'il en soit autrement.

Elle remercia finalement l'experte et fit, avec Vallières, les arrangements nécessaires pour que la toile leur soit retournée.

Avant de quitter le musée avec son équipe, elle se tourna vers le sergent Jacques. À voir l'expression sur son visage – la toile l'avait visiblement secoué –, elle conclut qu'il n'était pas en mesure de lui apporter le regard neuf qu'elle espérait.

Kate soupira bruyamment. Les portes se fermaient les unes après les autres. C'était désespérant.

# 30

Élisabeth sursauta lorsque Manu lui tapa doucement sur l'épaule. Elle était tellement concentrée sur son esquisse qu'elle n'avait pas vu le temps filer et, surtout, elle ne s'était pas rendu compte qu'il ne restait plus qu'elle dans la salle de cours.

— Oh, je me dépêche, dit-elle, s'empressant de ranger son matériel.

Voyant qu'elle s'apprêtait à plier le chevalet pour le remettre à sa place, le professeur dit:

— Laisse, le concierge va s'en occuper.

Timidement, Élisabeth lui sourit, puis s'affaira à remiser le reste de ses effets. Pendant qu'elle s'exécutait, Manu détaillait son visage.

— Tu as un très joli visage, dit-il.

Élisabeth rougit violemment.

— Et le bleu céruléen de tes yeux... On aurait envie d'y tremper un pinceau...

Il prit délicatement son menton entre le pouce et l'index pour lui relever la tête et plongea son regard dans le sien.

— Un bleu d'une pureté... incroyable.

Puis, il s'éloigna vers sa table de travail et sortit un livre de son sac. C'était un livre d'art sur le peintre

Chagall. Il en feuilleta les pages et fit signe à Élisabeth de s'approcher.

— Tu le connais?

Elle fit non de la tête. Il pointa du doigt la toile sur la page ouverte.

— Le violoniste bleu… On dirait que Chagall a peint à même tes yeux.

Élisabeth était dans un état second. Non seulement son professeur trouvait qu'elle avait du talent, mais il n'avait pas peur de ses immenses yeux bleus, qui lui avaient valu plus d'une fois le surnom d'« extraterrestre ». Elle était aux anges.

— Ici, on travaille en noir et blanc, mais chez toi, tu te sers de la couleur?

Élisabeth s'éclaircit la voix avant de parler.

— J'aime beaucoup les dessins aux pastels…

Puis elle le regarda étrangement et dit, comme pour le tester:

— J'ai vu des couleurs incroyablement belles quand j'hallucinais. La schizophrénie a ses avantages.

Le professeur leva les yeux du livre et la regarda.

— Certains peintres ont dépensé des fortunes en hallucinogènes…

Élisabeth rit franchement. Puis, elle se mit à feuilleter le bouquin et poussa l'audace jusqu'à faire des commentaires sur certaines toiles.

— Si tu veux, je te le prête, dit Manu au bout d'un moment.

Élisabeth s'empara du livre.

— Merci…

Elle était ravie. Ils avaient un secret. La sensation de chaleur ressentie en pensant à lui sous les étoiles se répandit cette fois dans son corps tout entier. Une torpeur bienfaisante l'envahit. Elle n'avait pas envie de le quitter.

Elle s'enhardit.

— Je n'ai jamais vu tes toiles…

L'affirmation le prit par surprise.

— Je ne sors pas beaucoup, s'excusa aussitôt Élisabeth.

Il ne fit aucun commentaire, mais sortit un livret de son sac. Élisabeth vit que son nom était inscrit sur la couverture. On y avait également reproduit une de ses œuvres. La petite sourcilla.

— C'est quoi ?

— Une gravure.

— Ah…

— Une eau-forte.

Elle l'interrogea du regard.

— C'est une technique qui prend son nom de l'acide nitrique étendu d'eau, qu'on utilise pour mordre le cuivre.

Elle hocha lentement la tête.

— On chauffe une plaque de cuivre, puis on la recouvre d'une fine couche de vernis coloré avec du noir fumé. Ensuite on trace, à l'aide d'une pointe, le croquis qu'on a conçu. Le vernis entamé par la pointe, on verse l'eau-forte sur le cuivre pour accomplir ce qu'on appelle la morsure. Lorsque l'acide a fait son travail, on le retire. On nettoie ensuite la plaque avec de l'essence de térébenthine pour enlever le vernis, et le dessin, qu'on voyait avant sur le vernis, apparaît gravé en creux sur le métal. On est alors prêt à imprimer la gravure.

Élisabeth buvait ses paroles comme une assoiffée dans le désert. Elle était en pâmoison. Tout un monde s'ouvrait à elle. Le monde des artistes.

# 31

Sur le chemin du retour, ils avaient peu échangé, chacun perdu dans ses réflexions.

Le sergent Jacques, qui n'avait pas eu le malheur d'être présent au moment où se déroulait l'affaire de l'Artiste, était toujours sous le choc. Comme si toute l'horreur de cette affaire s'était concrétisée dans la toile vue au musée. Pourtant, il en avait vu des saletés à Montréal : des trucs immondes avec des enfants, des affaires sordides de drogues, mais cette peinture…

Si Todd gardait le silence, c'était pour d'autres motifs. La toile n'avait pas eu d'effet sur lui. Il avait vu Trudel à l'article de la mort, en chair et en os. Aucune image ne pourrait jamais prendre la place de celle-là au palmarès de l'horreur dans son esprit. Non, si Todd demeurait muet, c'était principalement parce qu'il n'arrivait plus à faire émerger de son esprit une seule pensée nouvelle sur cette affaire. Il était tout simplement au bout du rouleau.

Quant à Kate… Paul était au centre de ses pensées. Elle craignait pour sa vie.

Le silence dans l'habitacle avait la tessiture du vide, de l'absence d'espoir.

Ils étaient presque à destination quand Kate demanda à Todd s'il pouvait faire un détour par le Pavillon des arts de l'université.

— Élisabeth avait un cours de dessin ce soir. Ils finissent à peu près à cette heure-là. Si elle y est encore, je pourrais la ramener à la maison.

Le sergent obtempéra.

La voiture pénétra dans le stationnement du pavillon au moment où les lumières à l'intérieur du bâtiment s'éteignaient. Debout devant la grande porte d'entrée, Élisabeth terminait de s'emmitoufler avant de s'aventurer sur le chemin du retour. En la voyant, si frêle dans la pénombre, Kate songea qu'elle aurait toujours l'air d'une enfant à ses yeux. Peu importe son âge.

Quand Élisabeth aperçut la voiture balisée, elle fut contrariée. Elle tourna immédiatement la tête en direction du pavillon pour voir si Manu était témoin de son humiliation. Heureusement, elle put constater qu'après avoir verrouillé la porte derrière elle, il était aussitôt reparti vers la sortie arrière, où l'attendait sa voiture.

— Élisabeth !

Kate l'interpellait de la voiture.

— Oui, oui, j'arrive…

Élisabeth s'installa à côté de Kate.

— J'ai une question pour vous autres, dit-elle sans préambule. Connaissez-vous beaucoup d'adolescents qui aiment que leur mère vienne les chercher à leur cours ? De plus, quand elle est police ?

Todd et Jacques éclatèrent de rire. Kate réussit à faire un semblant de sourire. Ce n'était pas l'accueil qu'elle avait espéré.

— Je vais essayer de m'en souvenir quand ma fille aura ton âge, dit Max.

— Bonne idée…, dit Élisabeth en regardant Kate.

À sa grande surprise, Kate lui tira la langue.

— Elle m'a fait une grimace ! s'écria aussitôt Élisabeth, hilare.

Todd et Jacques se mirent aussitôt de la partie et bientôt on n'entendit plus que des rires dans l'habitacle.

Comme Todd remettait la voiture en marche, le sergent Jacques remarqua une auto verte, à l'autre extrémité du stationnement, qui s'apprêtait elle aussi à quitter les lieux. Une pensée tenta de germer dans son cerveau, mais l'euphorie grandissante dans la voiture la dissipa aussitôt.

# 32

De retour à la maison, Élisabeth se déclara morte de fatigue et s'enferma sitôt dans sa chambre. Kate, qui n'avait pas dîné, se concocta une pâte à la sauvette, comme Sylvio lui avait montré, et s'écrasa devant le téléviseur. Elle avala son assiettée en moins de deux et, alors qu'elle était sur le point de s'endormir sur le divan, on frappa à la porte.

— Paul ! s'exclama-t-elle, surprise de le trouver sur la galerie.

Il était surexcité, son corps était parcouru de tremblements. Kate inspecta du regard les alentours, avant de l'attirer à l'intérieur et de verrouiller la porte derrière eux.

— Ça va ? Il s'est passé quelque chose ? Tu es venu seul ?

Trudel la rassura et lui expliqua qu'un infirmier du centre, qui avait terminé son quart de travail, avait eu la gentillesse de l'accompagner.

— Il viendra me chercher tout à l'heure.

Kate n'était pas rassurée. Sa pâleur faisait peur à voir.

— Tu n'as pas l'air bien, dit-elle. Je t'emmène à l'hôpital.

Trudel agrippa ses avant-bras et dit, les yeux plantés dans ceux de Kate :

— San Gimignano… C'est là que je suis allé en voyage de noces avec ma femme.

Kate ne comprit pas tout de suite. Elle était effrayée par son état et voulait qu'il se calme.

— Prends le temps de respirer, dit-elle.

— Tu ne comprends pas ! Je me souviens !

Kate se figea.

— Tu te souviens ?

— Pas de tout. Seulement des bribes… Mais j'ai des souvenirs.

Ce fut au tour de Kate d'avoir un drôle d'air.

— Surtout des souvenirs anciens, mais ça me revient… petit à petit.

Il se lança aussitôt dans le récit de son retour à la mémoire. Il lui conta que c'était la photo d'Élisabeth – celle dans la boîte à souvenirs qu'elle lui avait offerte – qui avait servi de déclencheur. Puis, il lui parla des dessins de la petite, qui avaient fait se matérialiser son premier souvenir complet, celui d'un dimanche passé en compagnie d'Élisabeth à pêcher. Il enchaîna avec d'autres fragments revenus à son esprit : sa femme, son métier, Julie… Finalement, Paul lui confia, avec un sourire en coin, qu'il se rappelait l'affaire scabreuse qui les avait initialement poussés dans les bras l'un de l'autre.

— Je ne voulais pas en parler avant d'être certain. Et surtout je ne veux pas que ça se sache…

— Ce serait trop dangereux, dit Kate, qui comprit immédiatement. Tant que tu n'as pas recouvré toute ta mémoire, ça doit demeurer un secret.

Kate aurait voulu hurler de bonheur. Au lieu de cela, elle étreignit Paul.

Le contact avec son corps fut comme une décharge électrique. Elle prolongea l'étreinte. Son parfum musqué, sa nuque puissante, ses larges épaules… Son corps entier l'appelait. Leurs embrasements passés remontaient comme des invitations au plaisir... Kate se dégagea brusquement et faillit faire tomber Paul à la renverse. Se confondant en excuses, qui ne faisaient que trahir davantage son trouble, Kate abandonna Paul dans l'entrée sous prétexte de leur préparer une boisson chaude.

Élisabeth, qui avait assisté à la scène à leur insu, retourna sans bruit dans sa chambre.

# 33

Kate émergea de sa nuit en pensant aux événements de la veille. Elle s'interrogeait sur le malaise que son accolade avec Paul avait provoqué chez elle. Elle était certaine que cela ne voulait rien dire. Son corps avait réagi à une mémoire sensorielle. Elle avait été victime d'une sorte de *flash-back* physique. Mais tout de même… la chose l'avait ébranlée. Heureusement, Paul semblait n'en avoir fait aucun cas. Il était allé la rejoindre dans la cuisine, pressé de lui raconter ce dont il se rappelait.

Kate s'étira et laissa ses souvenirs remonter à la surface. Après l'enquête qui les avait menés aux confins de l'innommable, les corps de Paul et Kate s'étaient jetés l'un sur l'autre. C'était la vie qui s'opposait violemment à la mort. Leur passion avait été électrisante et grisante. Au fils des ans, ils l'avaient presque confondue avec de l'amour. Mais Kate savait mieux maintenant. Sa relation avec Sylvio lui avait fait comprendre ses errances. Cela dit, l'affection profonde qu'elle portait à Paul l'empêchait d'être heureuse aujourd'hui. Elle craignait pour lui.

La porte de la chambre d'Élisabeth s'ouvrit et Kate la vit se diriger en courant vers la toilette.

— Salut Beth !

Kate sourit. On est tous pareils quand on est enfant, songea-t-elle. Aller aux toilettes est une perte de temps qu'on remet toujours à plus tard.

Kate s'étira une dernière fois, puis regarda l'heure. Sylvio n'allait pas tarder à arriver. Quand il ne quittait pas Montréal le vendredi pour venir jusqu'à elles, il arrivait toujours très tôt le samedi matin. Kate sauta en bas du lit et se rendit dans la cuisine commencer la confection du petit déjeuner. Elle avait préparé sa pâte à crêpe la veille, le repas serait vite fait.

Une fois que les premières crêpes furent dans le réchaud, elle décida de faire une attisée dans le poêle à bois, le chauffage ne parvenant pas tout à fait à combattre le froid extérieur. En se penchant pour allumer le feu, l'image de Paul lui vint en tête. Il aimait la voir penchée devant le feu…

Kate était heureuse qu'il ait retrouvé des parcelles de mémoire, mais il n'avait pas encore accès à l'unique information qui pourrait leur être utile : l'identité sous laquelle se cachait Simon Stein.

— C'est prêt ! lança Kate de la cuisine, où elle terminait à présent de se préparer un expresso.

Élisabeth mit un moment avant d'apparaître. Quand elle le fit, c'était avec une mine d'enterrement. Kate, qui était occupée à la servir, ne s'en rendit pas tout de suite compte.

— Tu as bien dormi ? demanda Kate, sans quitter des yeux le réchaud, d'où elle retirait les crêpes.

Élisabeth ne réagit pas. Kate leva les yeux pour regarder sa fille qui, les cheveux en broussaille, avait la tête penchée sur son assiette.

— Tu n'avais pas envie de crêpes ?

Élisabeth ne dit rien et commença à mâchouiller sans appétit.

Kate l'observa un moment avant d'enchaîner :

— On a eu de la visite hier soir… Tu ne t'en es pas rendu compte ?

Cette fois, Élisabeth la regarda bien en face.

— Ah, oui ? Qui ?

— Paul…

— Qu'est-ce qu'il voulait ?

Kate jugea la question étrange. Elle aurait trouvé plus normal qu'elle lui demande pourquoi elle ne l'avait pas réveillée, ou comment il se faisait qu'il était sorti seul du centre de réadaptation, mais elle ne s'y attarda pas. Elle avait obtenu l'information qui comptait le plus pour l'instant. Élisabeth n'avait pas entendu leur conversation. Le secret de Paul était sauf.

— Il voulait te remettre les dessins que tu as laissés dans sa chambre…, mentit-elle.

— Il est venu jusqu'ici juste pour ça ?

Kate fixa sa fille.

— Je pense qu'il s'ennuyait…

— C'est comme ça qu'on appelle ça maintenant… de l'ennui ?

— Pardon ?

— Laisse faire…

Kate n'insista pas. La petite était de mauvais poil, c'est tout. Elle se demanda quand même si leur conversation sur son comportement avait eu un effet sur elle.

— Beth…, dit Kate avec douceur.

— Quoi ? répliqua celle-ci sèchement.

Kate s'efforça de garder son calme. Voilà que sa fille en remettait. Les prochaines années allaient-elles toutes se dérouler ainsi ? Sautes d'humeur, réconciliation, impolitesse, réconciliation… Comme toutes les autres mères, une partie d'elle voulait la réprimander pour son attitude, mais l'autre partie, celle qui craignait de voir la maladie de sa fille ressurgir, cherchait désespérément le déclencheur de stress qui mettait l'adolescente dans cet état.

— Tu sais, si le cours de dessin…, commença-t-elle, cherchant ses mots. C'est peut-être trop pour toi en ce moment…

— Je suis une schizophrène en rémission, la coupa aussitôt Élisabeth, pas un bébé. Je comprends ce qui se passe. Je ne suis pas niaiseuse.

— Voyons, Élisabeth, je…

— Laisse-moi tranquille ! lui jeta Élisabeth avant d'aller s'enfermer dans sa chambre en claquant la porte.

Kate était atterrée. Elle voulut rejoindre sa fille dans sa chambre, mais au lieu de cela, elle se retrouva dans la cuisine, la main sur la poignée du réfrigérateur. Elle s'arrêta net dans son geste. Même si elle savait qu'il n'y avait pas d'alcool dans la maison, elle n'ignorait pas que c'est à la recherche d'une bière qu'elle s'apprêtait à ouvrir la porte du frigo. Je cherche à fuir mes responsabilités, songea-t-elle. Elle inspira bruyamment et, d'un bon pas, se dirigea vers la chambre de sa fille.

— Élisabeth ?

Comme elle s'y attendait, elle ne répondit pas. Kate frappa à sa porte.

— Beth… il va falloir que tu sortes tôt ou tard et que tu me dises ce qui se passe avec toi.

À sa grande surprise, sa fille ouvrit la porte et lui cracha à la figure :

— Avec moi ? Ce qui se passe avec moi ?

Kate était interdite.

— Je ne comprends pas…

— Pas fort pour une police ! dit-elle en passant devant Kate.

Élisabeth attrapa son manteau et son sac à dos au passage et se dirigea vers l'entrée pour enfiler ses bottes.

Kate eut à peine le temps de lui agripper le bras avant qu'elle sorte dans le froid.

— Mais où tu crois que tu vas ?

— Laisse-moi tranquille !

Élisabeth se dégagea de son emprise et ouvrit la porte. Comme elle allait sortir, Sylvio apparut sur la galerie.

— Qu'est-ce qui se passe ici ? On vous entend crier jusqu'au bout du chemin.

Élisabeth voulut le contourner pour passer, mais Sylvio l'en empêcha.

— Oh, non, jeune fille.

Il l'arrêta et la força à rentrer. Élisabeth se laissa choir tout habillée sur le divan.

— Quelqu'un veut m'expliquer ? demanda Sylvio en regardant Kate.

Celle-ci avait l'air tellement pitoyable qu'il se radoucit.

— Kate…

Le problème avec Kate est que rien de tout cela ne lui venait naturellement. Elle ne savait pas comment faire front commun avec son partenaire et, à cet instant, aurait tout donné pour un verre d'alcool. Sylvio comprit aussitôt.

— En fait, Élisabeth, c'est à toi de m'expliquer, dit-il en allant s'asseoir en face d'elle.

Élisabeth se mura dans le silence, fixant résolument le plancher.

— Très bien, dit Sylvio. Aimerais-tu mieux qu'on t'interdise les cours de dessin jusqu'à ce que tu nous expliques ce qui t'arrive ?

La petite leva les yeux, furieuse. On n'allait pas les lui enlever comme ça.

— Ce n'est pas juste ! Je n'ai rien fait pour mériter ça ! Je ne suis pas comme elle, termina-t-elle en direction de Kate.

Son cri d'injustice était si convaincant que Sylvio interrogea Kate du regard. Il lut cependant la même incompréhension dans ses yeux.

— Tu es impolie avec ta mère, tu ne réponds pas à ses questions, tu rentres tard... Élisabeth, on est inquiets. Explique-nous, dit-il avec douceur.

Des larmes grosses comme des pièces de monnaie se mirent à rouler sur les joues de l'adolescente. Kate se précipita pour l'entourer de ses bras, mais Élisabeth la repoussa aussitôt.

— Tu as tout gâché ! Je te hais ! dit-elle en s'enfuyant vers sa chambre.

— Beth ! Mais qu'est-ce qui...

Kate n'acheva pas sa phrase. Elle se tourna plutôt vers Sylvio, totalement désemparée.

— Qu'est-ce qu'elle voulait dire ? demanda Sylvio. Qu'est-ce qu'elle croit que tu as fait ?

— Je ne comprends pas...

Kate avait beau chercher, elle ne trouvait pas.

— Je ne vois pas...

Une larme roula sur sa joue.

— *Carissima*... Viens ici.

Kate se réfugia dans ses bras.

— Tu sais, dit Sylvio, je me demande si sa schizophrénie latente ne la rend pas plus sensible aux changements hormonaux que les autres adolescentes. C'est peut-être pour ça que son humeur change si radicalement. Je vais vérifier avec sa psychiatre demain.

Kate esquissa un maigre sourire.

— Mauvaise semaine ?

Kate lui raconta les derniers jours. Le résultat décourageant de sa visite au musée, les sautes d'humeur d'Élisabeth, la visite de Paul...

— Mais pourquoi tu pleures ? C'est une excellente nouvelle pour Paul.

— Un couteau à deux tranchants, tu veux dire, dit Kate en se dégageant.

Sylvio, qui n'avait pas mangé, était attiré par le mélange à crêpes qu'il voyait sur le comptoir de la cuisine.

— Je peux ?

Kate acquiesça en prenant place à la table pendant que Sylvio s'affairait. Elle aimait le regarder cuisiner.

— Si Paul ne retrouve la mémoire qu'à moitié, il ne peut pas s'aider, ni nous aider. Il sera encore plus en danger. Et il y a Élisabeth…

Une nouvelle larme coula sur sa joue. Elle se moucha bruyamment.

— Je suis fatiguée… J'ai besoin de vacances, je crois.

Sylvio sourit.

— Je te connais. Tu n'as pas besoin de vacances. Tu as besoin de confiance. Écoute-moi, Kate… Crois-tu que Nico était une bonne mère ?

Kate se rappela Nicoleta, la femme décédée de Sylvio, son amie… une femme merveilleuse.

— Il n'y a jamais eu de meilleure mère…

— Pourtant Nico aussi s'inquiétait. Et trois fois plutôt qu'une.

Kate soupira.

— On ne parlait pas de ces choses-là, elle et moi. Elle avait l'air tellement en contrôle.

Sylvio la prit dans ses bras.

— S'il y avait un livre de recettes pour élever les enfants, ce serait facile, mais il n'y en a pas. C'est une longue suite d'essais et d'erreurs. Mais quand on les aime, qu'on s'interroge et qu'on s'inquiète pour eux, comme tu le fais pour Élisabeth, les erreurs ne sont pas fatales et les efforts sont couronnés de succès.

Kate lui sourit.

— Je t'aime, papa poule, dit-elle.

— Moi aussi, je t'aime… maman poule mouillée ! dit Sylvio en se dégageant.

Kate lui fit une grimace. Comme c'était bon de l'avoir dans sa vie !

# 34

Kate et Sylvio n'avaient pas vu le week-end passer.

— Je trouve ça de plus en plus difficile, dit Sylvio en leur versant un jus d'orange. Les semaines sont interminables et les fins de semaine trop courtes.

Kate, comme toujours, resta muette. Elle se contenta de vider son verre de jus et d'emplir son bol de céréales.

— Ça ne te dérange pas ? insista Sylvio.

Elle soupira et le regarda, l'air misérable.

— Pour moi, c'est déjà beaucoup. Je suis heureuse de ce qu'on a.

— Mais tu n'as pas envie de plus que ça ?

Kate fut sauvée par la cloche, car Élisabeth vint les rejoindre à table.

— Bonjour, Beth.

Elle grommela des bonjours à la ronde et inséra deux bagels dans le grille-pain. Elle n'avait pas changé d'humeur du week-end, qu'elle avait passé dans sa chambre, son iPod en permanence aux oreilles.

— As-tu vraiment envie de vivre ça au quotidien ? murmura Kate à Sylvio, dans le dos d'Élisabeth.

— Oh, non ! s'exclama Sylvio en riant. Tu ne t'en tireras pas comme ça. On va avoir cette discussion, tôt ou tard.

— Quelle discussion ? demanda Élisabeth.

Kate se figea. Pour l'étriver, Sylvio lui fit signe de répondre.

— C'est entre Sylvio et moi, choisit de répondre Kate.

— Désolé, mais cette discussion concerne Beth aussi.

Puis, sans consulter Kate, il demanda à Élisabeth :

— Aimerais-tu ça qu'on vive ensemble ? À temps plein ?

Kate fulminait.

— Ce n'est pas à moi que tu devrais demander ça…

Élisabeth fixait maintenant sa mère. Kate crut lire du défi dans son regard.

— Je suis désolée, mais ce n'est pas une discussion qu'on va avoir ce matin. Là, je vais terminer de m'habiller, vous allez finir de déjeuner… et on va tous se calmer le pompon.

Kate quitta le chalet peu après, sous le regard amusé de Sylvio, qui la suivit de peu. Élisabeth était retournée s'enfermer dans sa chambre, attendant l'arrivée de Marie Lampron, comptant les heures qui la séparaient du prochain cours de dessin.

Cela faisait plus d'une demi-heure que Kate était arrivée au poste et elle ne décolérait toujours pas. Elle savait que, tôt ou tard, Sylvio la mettrait au défi. La suite logique de leur relation était qu'ils habitent ensemble. Mais l'idée de retourner vivre à Montréal rebutait Kate. De plus, elle avait peur. Peur de voir la magie disparaître s'ils vivaient sous le même toit, de faire resurgir ses démons, de finir par ressembler à ses parents… toutes des peurs irraisonnées, elle le savait, mais elles l'empêchaient quand même de faire le saut. Et elle aurait aimé que Sylvio comprenne !

Todd passa la tête dans la porte de la salle de conférence.

— Où sont les autres ?

— En retard !

Todd prit place à la table.

— *You're in a good mood*, dit-il, le sarcasme évident.

— Arrête la psychothérapie ! C'est lundi. J'ai le droit de ne pas être de bonne humeur.

Le sergent Jacques entra.

— Salut la compagnie !

Un autre jovialiste, songea Kate. Elle se concentra sur ses notes. Moins de trente secondes s'écoulèrent avant que Labonté et Jolicoeur entrent en brandissant une feuille et en criant de concert :

— Gabriel Boucher !

— Gabriel Boucher ? dit Jacques en s'étouffant avec sa gorgée de café.

Kate interrogea les sergents du regard.

— Notre momie s'appelle Gabriel Boucher, dit Labonté. Et le sergent Jacques travaillait sur l'affaire de sa disparition à Montréal.

Kate tourna son regard vers Maxime Jacques.

— Un homme d'affaires de Montréal, disparu l'automne dernier. J'imagine que vous l'avez identifié grâce à l'empreinte génétique qu'on avait mise dans le système ?

Jolicoeur fit signe que oui.

— Vive l'ADN ! dit Todd.

L'atmosphère venait de changer du tout au tout.

— Qu'est-ce qu'on sait ? demanda Kate.

Jolicoeur consulta le sergent Jacques du regard.

— À toi l'honneur, dit Max.

Le sergent consulta ses notes.

— Le gars est disparu au début d'octobre. Il arrivait d'un voyage d'affaires à New York. Les caméras de surveillance de l'aéroport confirment qu'il a pris sa voiture dans le stationnement, payé son dû à la guérite et après… plus aucune trace.

— Vous aviez une théorie ? demanda Kate à Max.

— Cent plutôt qu'une. Le gars est marié, a une maîtresse, fraye avec le clan Rinotto et est impitoyable en business. À peu près tout le monde avait des motifs de l'enlever ou de le faire disparaître. On a enquêté pendant trois mois sans rien trouver. Pas une piste, pas une preuve de culpabilité. Sans compter qu'on n'a jamais retrouvé son corps ni sa voiture. Mystère total !

Kate regarda ses hommes.

— Des hypothèses ?

Todd se lança.

— Ce n'est pas un gars de la place, donc on élimine la chicane de voisins.

— Ça pourrait tout bêtement être un règlement de comptes, dit Jacques. Il ne faut pas oublier le clan Rinotto.

— Possible, dit Kate, songeuse. Mais d'un autre côté… Labonté et Jolicoeur ?

Les sergents levèrent la tête.

— Regardez du côté de Nunnelly, s'il n'y aurait pas un lien avec Boucher. Ça m'étonnerait, mais on ne sait jamais.

— Parlant de Nunnelly…, commença Labonté, on a creusé plus loin. Le gars n'a vraiment rien à se reprocher. Je n'ai jamais vu un dossier aussi *clean*. Un vrai saint…

— Trop *clean*, c'est comme pas assez, dit Todd.

— On verra, dit Labonté, mais je ne mettrais pas un dix sur lui.

— OK ! dit Kate. Jacques et Todd, essayez de trouver un lien entre les Stein et Boucher. Si la momie est l'œuvre de Simon, il y a peut-être une piste de ce côté-là.

— *Your wish is my command !* dit Todd en plaisantant.

Kate se perdit dans ses pensées quelques instants avant d'ajouter.

— Le gars aurait pu également se trouver au mauvais endroit au mauvais moment…

Ses hommes la regardèrent.

— Il pourrait avoir bêtement croisé l'Artiste…

# 35

Marquise Létourneau détaillait l'homme assis devant elle. Si elle n'avait pas connu son histoire, elle aurait dit qu'il était en santé. À vrai dire, c'était un beau spécimen d'homme dans la cinquantaine. Cependant, elle savait que l'inspecteur Paul Trudel venait de vivre un traumatisme auquel peu d'hommes survivent. Il avait l'apparence de la santé, mais en réalité…

L'inspecteur avait demandé à rencontrer la psychiatre, sans toutefois lui en donner la raison au téléphone. Marquise Létourneau avait accepté. S'il voulait qu'ils se voient, c'est qu'il avait de sérieuses raisons.

— Qu'est-ce que je peux faire pour vous ?

— J'ai commencé à retrouver la mémoire, dit Paul simplement.

Elle ne put réprimer un sourire.

— C'est une excellente nouvelle.

— Je me souviens de presque tout mon passé, sauf la période comprise entre le moment où j'ai été enlevé et celui où je me suis réveillé à l'hôpital.

— C'est normal…

Paul hésita.

— Il se pourrait que, pendant cet intervalle, j'aie appris des choses importantes… qui pourraient peut-être aider à résoudre l'affaire de l'Artiste.

Marquise Létourneau se contenta d'acquiescer.

— Si mon agresseur découvre que j'ai recommencé à me souvenir, ma vie pourrait être en danger. Sans compter celle des gens à qui l'Artiste pourrait croire que je me suis confié.

— Vous n'avez rien à craindre. Je suis liée par le secret professionnel.

— Mais vous êtes également la personne chargée par la SQ de m'évaluer. Le moindre rapport sur l'état de ma mémoire pourrait être fatal, s'il tombait entre de mauvaises mains.

La psychiatre hocha la tête.

— Je comprends.

Marquise Létourneau posa son crayon et referma le dossier de Trudel.

— Qu'attendez-vous de moi ?

— J'ai des questions. C'est tout.

Elle réfléchit.

— Bien… Posez vos questions.

Paul s'éclaircit la gorge.

— Est-ce que je vais retrouver ma mémoire des événements ?

— La vérité ?

Paul hocha la tête.

— J'en doute. Les pourcentages dans un cas comme le vôtre ne jouent pas en votre faveur.

— Y a-t-il un moyen de forcer ma mémoire ?

Marquise Létourneau hésitait à parler.

— Bien sûr, il y a des moyens. Des drogues, l'hypnose… Mais il n'y a aucune garantie. Cela fait plus d'un an que votre mémoire est bloquée tellement votre traumatisme a été grand. Vous pouvez déjà vous compter chanceux d'avoir retrouvé la presque totalité de vos souvenirs.

— Je sais, mais des informations précieuses se cachent peut-être dans mon cerveau…

— L'hypnose pourrait nous révéler ces souvenirs enfouis, seulement il y a un danger. L'amnésie est un mécanisme dont se sert le cerveau pour nous éviter d'affronter un traumatisme, quand il le juge trop grand à supporter sur le coup. Oublier pour ne pas souffrir, en quelque sorte. Si l'on force ce souvenir à remonter à la surface, on ne peut pas prédire comment votre cerveau va réagir.

— Qu'est-ce qu'il peut me faire, mon cerveau ? railla Paul.

Marquise Létourneau le fixa en silence.

— Quoi ?

— Il y a un danger que vous développiez une forme de psychose. Que vous vous fermiez au monde. La catatonie est un autre refuge du cerveau.

Paul était atterré.

— Je comprends…

— Inspecteur, vous venez de retrouver une partie de vos souvenirs. C'est encore trop tôt pour penser que vous ne retrouverez pas toute votre mémoire. L'hypnose n'est pas une option souhaitable pour l'instant. Il faut plutôt penser à éviter toute forme de stress. Laissez vos souvenirs revenir à leur rythme.

— Et si cela ne se produit jamais ? insista Paul.

Marquise Létourneau soupira.

— On verra en temps et lieu.

## MANIFESTE DE L'ANDEV

(Extrait VII)

[...]

*La politique de la diversité culturelle est un fléau.*

*La diversité culturelle n'est qu'une autre façon de promouvoir la mixité des races.*

*La promotion de la diversité culturelle est un outil de propagande anti-race blanche.*

*Le soutien à la diversité culturelle est l'équivalent d'un virus inoculé à petites doses pour contaminer le bassin de population de la race blanche.*

[...]

# 36

C'était maintenant le 18 février, le froid ne démordait pas et à cela s'ajoutait le manque de lumière. Cela faisait plus de trente-cinq jours que le ciel était couvert. Même pendant le redoux de janvier, la couverture nuageuse n'avait pas disparu. Pas un seul jour sans chute de neige, et aujourd'hui n'avait pas fait exception. Il avait même neigé toute la journée. Le moral de la population était au plus bas, celui de l'Escouade au septième sous-sol.

— Jolicoeur ?

Le sergent jeta un coup d'œil à son coéquipier, puis commença le rapport.

— On a passé la semaine à Montréal à interroger les employés de Boucher et les membres de sa famille…

Il s'arrêta avec un drôle d'air.

— Quoi ? demanda Kate.

— Si le gars n'était pas déjà mort, je l'aurais tué moi-même.

Kate avait les yeux ronds. Labonté prit la relève.

— Pas une seule personne interrogée n'a fait un portrait positif de l'homme. Tout le monde sans exception a avoué être content de le savoir mort.

— Même sa famille ? demanda Todd.

— Violence conjugale, dit Jolicoeur, laconique.

Kate fronçait les sourcils en tournant les pages du rapport que Labonté et Jolicoeur lui avaient remis.

— Pas de lien avec la famille Stein ?

Labonté secoua la tête.

— On n'a rien trouvé. Sa famille n'a jamais entendu le nom, ses employés non plus... On a même téléphoné à Litz.

— Et du côté de Nunnelly ?

Le sergent Jacques prit la parole.

— Comme j'étais le seul à l'avoir interrogé, je lui ai téléphoné. Mark Nunnelly a été catégorique, il ne connaît pas notre momie. Labonté et Jolicoeur ont fait le tour de la famille et des employés de Boucher avec le nom de Nunnelly... Même chose. On ne parvient pas à lier Boucher à Nunnelly.

— Fait intéressant, ajouta Jolicoeur, il semble que Boucher avait l'habitude de travailler seul sur certaines affaires. L'homme était très superstitieux en plus de ses autres « qualités ». Il faisait certaines affaires seul parce qu'il ne voulait pas que ses employés interviennent dans ses *feelings*...

— Méchant cas..., laissa tomber Kate. Bon ! Ça nous mène où ?

— Au restaurant ! déclara Jacques.

Ils le regardèrent tous.

— Ce soir, je fête la Saint-Valentin avec ma nouvelle copine, dit-il, tout sourire.

— On est le 18, grommela Jolicoeur.

— On ne pouvait pas lundi... Vous l'avez fêtée, vous autres ?

Personne ne dit rien. Jacques rit.

— On dirait que le Québécois d'origine haïtienne est plus québécois que les pures laines.

— C'est une coutume qu'on aurait préféré que tu n'adoptes pas, déclara Jolicoeur. Cela aurait été le temps que ta différence déteigne un peu sur nous.

— On fête la Saint-Valentin à Haïti aussi. Mais ici ça prend des proportions…

Il cherchait ses mots.

— Astronomiques ? suggéra Kate.

— C'est ça.

Puis il fit une pause. La conversation avait fait remonter des souvenirs douloureux.

— La Saint-Valentin de février 2010… Juste après le tremblement de terre… On va s'en souvenir longtemps.

Le silence s'abattit dans la salle. Autant la planète avait déploré le fait sur le moment, autant le peuple haïtien était tombé dans l'oubli depuis.

— Tu avais de la famille là-bas au moment du séisme ? demanda Kate.

Maxime Jacques hocha la tête.

— Ma mère et mon père rendaient visite à mes grands-parents à Port-au-Prince. Ils sont morts sous les décombres de la maison ancestrale.

On ne devine jamais la souffrance qui nous entoure, songea Kate.

— Mais aujourd'hui, je célèbre l'amour et la vie, réattaqua le sergent Jacques avec son optimisme habituel. Et si je suis chanceux… je vais célébrer jusque tard dans la nuit.

Ses coéquipiers sourirent.

Une fois de plus, l'instinct de vie s'opposait à la mort.

# 37

Stein sourit. Il revoyait l'expression effarée de sa sœur lorsqu'il lui avait annoncé l'achat d'un terrain abritant un ancien crématorium. Il avait été obligé de lui mentir et de lui dire que c'était une transaction de blanchiment d'argent, sinon elle l'aurait questionné sans arrêt. Il avait remarqué qu'elle l'affrontait un peu trop souvent dernièrement. Il devrait veiller à ce qu'elle cesse son petit manège. Non pas qu'il la craignît. Greta était bien trop dévouée à la cause pour lui nuire. Un couinement le sortit de ses pensées.

Il délaissa le chariot sur lequel il travaillait et s'avança en direction du bruit. Veronika, attachée sur une chaise à roulettes, un ruban adhésif sur la bouche, essayait de parler. Il arracha le ruban sans ménagement. Ce qui la fit hurler.

— Bienvenue parmi nous, dit-il.

Veronika regardait autour d'elle, les yeux ronds d'effroi.

— Où m'as-tu emmenée ?

— Je t'avais dit que je te réservais une surprise pour la Saint-Valentin…

C'était le subterfuge qu'il avait utilisé pour la leurrer hors du chalet, puis dans sa voiture. Il lui avait promis une soirée dont elle se souviendrait pour le restant de ses jours. Une fois dans la voiture, il s'était penché sur elle, comme pour l'embrasser, et lui avait injecté un puissant tranquillisant. Elle avait sombré dans un sommeil sans rêves presque instantanément.

— Qu'est-ce que c'est que cet endroit ?

Simon ne répondit pas. Un gémissement provenant du chariot attira son attention.

— Ah... On est presque prêt.

Il poussa la chaise de Veronika en direction des plaintes. Quand elle comprit de quoi il s'agissait, elle tenta de se lever. Simon appuya fermement sur ses épaules.

— Tutt, tutt, tutt... Tu vas gâcher ta surprise.

Puis, il tendit la main et prit une seringue sur une tablette près d'eux.

— Et tu sais que je ne tolère pas qu'on ne m'obéisse pas au doigt et à l'œil.

Simon lui fit une autre injection et, avant qu'elle ait pu dire quoi que ce soit, elle fut complètement paralysée. Elle ne pouvait plus bouger un seul muscle. Simon s'assura cependant qu'elle pourrait voir sa « surprise » en lui installant un spéculum à paupières, pour les garder ouvertes.

Il délaissa ensuite Veronika pour se concentrer sur le corps qui commençait à grouiller sur le chariot. Il retira le drap qui le recouvrait. Veronika lança un cri muet quand elle reconnut Zia, l'aide philippine des Stein. Elle était nue et attachée au chariot par des sangles en cuir. Simon la gifla. Cela suffit pour qu'elle reprenne totalement conscience. La panique et la peur apparurent aussitôt sur son visage.

— Monsieur..., tenta-t-elle.

Mais de nouveau Simon la gifla violemment et elle ne put finir. Comme avec Veronika, il se servit d'un speculum à paupières. Non pas qu'il utiliserait un paralysant sur elle, il voulait simplement s'assurer qu'elle ne fermerait pas les yeux. Il se tourna ensuite vers Veronika et dit :

— Je me suis demandé ce que je pouvais offrir d'exceptionnel à mon adorable compagne pour la Saint-Valentin. J'en suis venu à la conclusion que la meilleure chose que je pourrais t'offrir... c'était un retour au passé.

Veronika ne comprenait pas un seul mot de ce qu'il disait, jusqu'à ce qu'il actionne un bouton et que, derrière le chariot, dans le mur, se dessine peu à peu une ouverture, d'où elle put finalement distinguer des brûleurs à gaz en action. Un four crématoire !

— Zia, que tu vois ici, a gentiment accepté de participer à ton cadeau. Une crémation, comme le Führer les aimait.

La servante voulut crier, mais aucun son ne sortit de sa bouche. Elle étouffait. La terreur la submergeait.

Simon la fixait. Ses prunelles envahissaient ses yeux tellement elle était morte de peur. Il sourit, puis à l'aide d'une pédale haussa la chaise de Veronika à la hauteur de la table. Il orienta sa tête pour qu'elle puisse bien voir le visage de l'aide ménagère.

— J'ai pensé ajouter à la cérémonie une touche qui devrait te plaire... J'ai décidé que Zia y participerait à froid.

Zia hurla enfin.

Simon appuya sur un bouton qui actionna le plateau du chariot sur lequel reposait le corps de Zia. Il commença à glisser vers la bouche du four. Veronika avait les yeux rivés sur la pauvre fille, qui tentait d'utiliser tout ce qu'il lui restait de volonté pour se dégager de ses sangles.

— Tu vois, Veronika, je me suis dit que, comme tu aimais nos petits jeux, tu aimerais celui-ci. Je ne voulais pas gâcher ton plaisir en anesthésiant Zia, ce qui l'aurait empêchée d'y participer activement.

Le second hurlement eut lieu quand la tête de la fille pénétra dans le four. De désespoir, elle parvint à soulever le haut de son corps alors que le chariot l'enfonçait dans l'enfer. Ses yeux se rivèrent à ceux de Veronika dans une supplique sans nom. Ensuite la porte se referma et, pendant un moment, ils n'entendirent plus qu'un long cri. Puis plus rien. Simon se tourna alors vers sa compagne. Il avait l'air dément.

— As-tu aimé mon présent ?

Veronika se rendit compte qu'elle pouvait bouger les lèvres. Elle murmura :

— Je suis enceinte… ton enf…

Sa déclaration n'eut pas l'effet escompté. Simon eut un rictus de dégoût et dit :

— Trop tard. Maintenant que tu as eu ton cadeau, c'est à ton tour de m'en faire un.

Malgré les suppliques répétées de sa compagne, Simon ne changea rien à son programme.

Lorsque, plus tard, le premier hurlement de Veronika résonna dans la salle, il crut mourir de plaisir.

Quand tout fut terminé, il éteignit le four et, à l'aide d'une pelle, en retira les cendres, qu'il versa dans un seau en métal rouillé. Puis, il remit la salle en ordre et sortit par la porte arrière du crématorium, qui donnait sur un jardin à l'abandon.

En répandant les cendres au vent, Stein n'eut qu'un regret. Avec qui jouerait-il maintenant ?

# 38

Après le travail, Kate se dirigea tout droit au centre de réadaptation. Paul lui avait donné rendez-vous à dix-huit heures. Elle serait en retard, car elle avait mal évalué le temps que ça lui prendrait pour éplucher le rapport des sergents Labonté et Jolicoeur.

Kate avait écouté leur compte rendu, mais elle préférait toujours par la suite lire les notes des agents. Il arrivait parfois qu'ils ne fassent pas certains liens. Non qu'ils ne soient pas compétents, mais quand on a le nez dedans... Elle n'avait cependant rien trouvé de nouveau dans le rapport des sergents. Elle était même ressortie de sa lecture encore plus déprimée. Ça leur prendrait des mois à éplucher en profondeur les dossiers des différentes opérations que Boucher menait. C'était l'homme de mille idées et de mille compagnies à numéros. S'il y avait un lien là-dedans entre Boucher et Stein ou Nunnelly, ce n'était pas demain qu'ils le trouveraient.

— Entre, dit Paul après avoir débarré la porte de sa chambre.

Kate pénétra dans la pièce pour la première fois depuis qu'il avait retrouvé une partie de sa mémoire, depuis leur étreinte. Elle se sentit soudain à l'étroit. Elle s'assit sur le seul fauteuil dans la pièce. Paul était devant la fenêtre. Elle ne pouvait pas lire l'expression sur son visage à contre-jour, mais elle devinait qu'il était empreint de tristesse.

— Comment vas-tu ?

Paul haussa les épaules, puis se tourna vers la fenêtre. Kate attendit patiemment qu'il parle.

— C'était la Saint-Valentin lundi…

L'intimité de la pièce mettait Kate mal à l'aise. La remarque de Paul tout autant.

— Je me suis souvenu d'une Saint-Valentin qu'on avait passée ensemble…

— Paul, l'interrompit Kate, quand tout ça va être fini, tu vas reprendre une vie normale. Tu vas refaire ta vie, avoir une blonde…

— Et si vous ne retrouvez jamais Stein, dit-il en se tournant vers elle, si vous ne l'arrêtez jamais ?

Kate n'avait pas de réponse pour lui. Il appelait au secours et elle ne pouvait pas l'aider.

— Ça ne sert à rien de mettre la charrue devant les bœufs. Tu sais comme moi que tout peut changer d'un instant à l'autre…

— Comme les relations ?

Kate fut prise de court par sa question.

— Tu veux parler de Julie ?

— Non. De toi et Sylvio.

Kate se raidit.

— Tu ne réponds pas ?

Kate se contint.

— Tu ne sembles pas te souvenir que tu m'as laissée pour Julie.

— Je m'en souviens très bien.

— Alors ?

Paul se radoucit.

— C'est drôle, cette histoire d'amnésie. Je ne parviens pas à me rappeler pourquoi j'ai voulu te quitter.

Kate ferma les yeux.

— Cette histoire, entre nous, était finie depuis longtemps.

— Vraiment ? Je n'ai pas eu cette impression, l'autre soir, chez toi.

Kate aurait voulu être ailleurs, mais en même temps elle comprenait ce qui le hantait. Ce n'était pas elle, ni leur relation passée. C'était la perspective de sa mort aux mains de Stein. Il avait besoin de se rattacher à quelqu'un, à la vie. Kate avait toujours été son phare dans la tempête.

— Paul… On s'est séduits, déchirés, envoyés en l'air, avec beaucoup de passion c'est vrai, mais je ne crois pas qu'on se soit jamais vraiment aimés. On était des bouées de sauvetage l'un pour l'autre. Ce n'est pas ça l'amour.

L'expression de détresse qu'elle lut sur son visage la renversa.

— Je sais que tu as besoin de moi. Crois-moi, si je pouvais…

Elle s'arrêta soudain.

— Tout est mieux que l'état actuel des choses, réfléchit-elle à voix haute.

— Pardon ?

Kate le regarda droit dans les yeux.

— Tu vas te joindre à l'équipe.

Sa suggestion prit Paul par surprise.

— Si je fais ça, Stein va croire que ma mémoire des événements est revenue…

— Justement ! Quoi qu'on fasse, ta vie est menacée… Alors, pourquoi pas ?

Paul soupesa sa proposition. Kate avait raison.

Il prit une profonde inspiration.

— D’accord.

Kate se leva pour partir. Mais avant elle lui dit, une note de défi dans la voix :

— On va ouvrir la porte toute grande, Paul… Si Stein se pointe, on sera là à l’attendre !

# 39

Kate eut la surprise de sa vie en mettant les pieds dans le chalet. Sylvio l'attendait avec un immense bouquet et une table dressée, digne du meilleur restaurant.

— C'est quoi, ça ? fut la seule chose qu'elle trouva à dire.

— Un repas de Saint-Valentin... Tu connais ? ajouta-t-il avec un sourire en coin.

— C'était lundi dernier.

— Mais j'étais à Montréal. Désolé, *cara mia*... Tu vas être obligée d'endurer.

Sylvio lui enleva galamment son manteau, la prit par la main et l'invita au salon, où les attendaient deux verres de mousseux... du moult de pomme.

— Chin ! Chin ! dit Sylvio en choquant son verre contre le sien.

Ils burent, puis il prit le verre de Kate, et le déposa sur la table à café. Doucement il prit ses mains, planta son regard dans le sien et dit :

— Kate... Je t'aime aujourd'hui, comme je t'aimerai dans dix ans, dans cent ans. J'aime tes défauts, tes caprices, tes erreurs. J'aime ce que tu as été, ce que tu deviens et ce qu'on deviendra ensemble.

Kate buvait ses paroles. Aucun élixir, aucun alcool n'aurait eu meilleur goût.

— Je t'aime, répondit-elle simplement.

Sylvio savait que ce simple aveu de Kate valait mille promesses, mille serments. Ces mots, il le savait, Kate croyait ne jamais pouvoir les dire à un homme.

— Bon ! À table !

Il entraîna Kate à sa place.

— *Signora*...

Il avait déplié sa serviette de table, comme le ferait un serveur, et s'apprêtait à la poser sur ses genoux. Kate joua le jeu. Quand il eut fini, il chercha avidement sa bouche.

— Connais-tu des restaurants qui ont un tel service ? demanda-t-il en s'éloignant ensuite vers le comptoir de la cuisine, où il avait déjà préparé les entrées.

Kate le dévorait des yeux.

— Ils ne feraient pas de bonnes affaires... Ce genre de service ouvre l'appétit, mais pour autre chose que de la bouffe.

— Oh, non ! Je n'ai pas déployé autant d'efforts pour qu'on ne mange pas. Repas d'abord, dessert ensuite, ajouta-t-il en souriant, déjà émoussé par sa proposition.

Il servit l'entrée : une portion de polenta accompagnée d'une sauce tomate qui suscita les exclamations de Kate.

— Cette sauce... Elle a le goût du soleil méditerranéen sous lequel ont chauffé les tomates. Ça fait du bien de prendre congé de mes soucis.

Sylvio mit un doigt sur sa bouche.

— Ce soir, c'est nous deux, et rien d'autre.

Kate sourit, puis vida son assiette, avant que Sylvio n'ait le temps d'entamer la sienne.

— Essaierais-tu d'arriver au dessert plus rapidement ? suggéra Sylvio.

Il avait un sourire coquin.

— Entre le plat principal et le dessert, mon cœur balance, dit Kate en se levant pour aller dans la cuisine.

Elle effleura les lèvres de Sylvio au passage. Kate aimait leurs jeux de séduction. Ils laissaient le désir monter, lentement, assurés de la satisfaction qu'ils obtiendraient, tôt ou tard.

— Veux-tu un verre d'eau ? dit Kate, rendue à l'évier.

Elle n'eut pas de réponse. Sylvio était derrière elle et se pressait contre son corps. L'incendie fut instantané. Ils n'avaient plus assez de mains pour déboutonner les boutons, défaire les ceintures, retirer les sous-vêtements. Ils aboutirent sur le divan du salon, nus comme des vers. Avant de succomber totalement à leurs désirs, Kate rit et dit :

— Une chance qu'Élisabeth avait envie de passer la nuit chez Mary !

# 40

Élisabeth avait déchiré cent dessins avant de trouver le cadeau parfait. Elle allait faire son portrait.

Elle n'avait pas lésiné. Elle avait sorti ses meilleurs pastels et sa tablette à dessin de luxe puis, s'appliquant comme jamais elle ne l'avait fait, elle l'avait dessiné de mémoire. À la perfection. Satisfaite, elle avait longuement examiné son œuvre et l'avait baptisée *L'Artiste bleu*.

La perspective qu'il puisse peut-être répondre à ses sentiments l'avait aidée. C'était devenu intolérable pour elle de vivre chez Kate. Autant elle avait embrassé la famille qu'ils formaient, Sylvio, Kate et elle, autant son rejet était violent. Elle se sentait trahie. Comment Kate avait-elle pu lui faire ça ? Elle lui avait promis de l'amour, une famille... Et voilà qu'elle les trahissait tous avec Paul ! Elle n'avait aucun doute. Elle avait vu leur étreinte coupable, le malaise de Kate. Les adultes n'avaient jamais été capables de lui donner l'amour dont elle avait besoin, mais elle s'en foutait maintenant. Elle fonderait sa propre cellule amoureuse...

Élisabeth avait mis plus de deux heures à choisir ses vêtements. Sa garde-robe n'était pourtant pas très étoffée. Elle avait des jeans noirs, des jeans bleus, et encore des noirs et des bleus. Elle avait finalement opté pour les bleus, et un chemisier blanc qu'elle avait trouvé parmi les vêtements de Kate. Une combinaison qui mettait le mieux en valeur son inoubliable visage et ses formes naissantes. Elle avait dû mettre un soutien-gorge car la blouse était légèrement transparente. Cela l'avait fait rougir.

Élisabeth savait qu'elle était en retard pour son âge. Elle avait entendu les autres filles du cours parler de leurs « petits amis ». Elle avait été presque choquée par les comptes rendus détaillés qu'elles avaient donnés de leurs folles nuits d'amour. Ce n'était pas comme elle l'imaginait. Ça n'avait rien à voir avec le plaisir que Sylvio et Kate semblaient y prendre, du moins jusqu'à la visite de Paul. Non. Ces filles parlaient de concours de fellations, de danses lascives assises sur les genoux de leur « ami », de *dry humping*...

Élisabeth s'était regardée dans le miroir une dernière fois avant de quitter la maison. Ça va aller, avait-elle jugé. Puis, elle s'était ravisée et avait déboutonné son chemisier encore plus bas. Elle pouvait voir la naissance de ses seins. Encore une fois, elle avait senti la bienfaisante chaleur envahir son corps.

Elle avait pris plaisir à la marche pour se rendre à l'université. Elle avait fantasmé sur l'accueil qu'il ferait à son valentin, multipliant les variantes à l'infini. Il rougissait joliment, il lui prenait la main tendrement, il plongeait ses yeux dans les siens, il lui déclarait son amour, il lui faisait l'amour avec passion... Lorsqu'elle avait mis les pieds dans les locaux de l'université, Élisabeth ne se possédait déjà plus tellement elle était excitée.

Elle avait été surprise de découvrir que des adultes s'étaient joints au groupe, deux femmes. Le professeur leur avait expliqué que c'était d'anciennes élèves qui lui avaient proposé de l'aider avec le groupe. Élisabeth avait été dérangée par la présence de ces femmes, une en particulier. Elle n'aimait pas sa façon de regarder Manu. Un peu comme Kate avait regardé Paul, le fameux soir.

Ce souvenir l'avait bouleversée et elle avait dû contenir ses larmes. Inutile de pleurer le passé, s'était-elle sermonnée. Je n'ai plus besoin de Kate et des autres. J'ai Manu.

Pour la première fois, le cours avait paru long. Elle avait eu de la difficulté à se concentrer sur les exercices demandés. Elle n'avait que Manu en tête. Son visage, ses yeux brûlants... Son cœur s'affolait dès qu'il s'approchait d'elle. Quand en se promenant parmi les rangs il avait posé la main sur son épaule au passage, elle avait presque défailli.

— Vous pouvez ranger vos choses...

Élisabeth sortit de ses rêveries juste à temps pour entendre Manu annoncer la fin du cours. Maintenant que l'heure avait sonné, elle hésitait. Elle inspira profondément et s'avança.

— Oui ? dit-il sans la regarder, plongé dans l'examen d'un dessin.

Élisabeth tendit sa carte. Dès qu'il vit de quoi il s'agissait, il eut une expression indéfinissable sur le visage, puis il survola la classe du regard. Un scénario qu'Élisabeth n'avait certes pas imaginé. Lorsqu'il parut satisfait – du moins c'est ainsi qu'elle l'interpréta –, il murmura sans prendre la carte :

— Attends-moi dans le parking...

Élisabeth retourna comme un zombie à sa place. Elle rangea ses affaires en un temps record et quitta la pièce sans lui jeter un regard, comme elle l'avait vu faire dans les films où des amoureux se rencontraient en secret.

Walt Disney n'aurait pu inventer un meilleur scénario, songea-t-elle, une fois dans le stationnement. Elle était fière. Elle avait bien préparé son coup. Il ne pourrait résister à la carte qu'elle lui avait confectionnée. Elle le savait. Elle le sentait. Et comme elle avait menti à sa mère sur l'endroit où elle allait passer la nuit, elle était entièrement libre. Elle sourit en songeant au parfum qu'elle avait mis juste au bon endroit, comme lui avait montré une des filles du groupe…

Elle frissonna de plaisir et choisit un coin sombre qui la camouflerait de la vue des étudiants quittant l'université.

## MANIFESTE DE L'ANDEV

(Extrait VIII)

[...]

*Le principe même des accommodements raisonnables n'a pour but que de réduire l'espace vital des Blancs.*

*Toujours au détriment des Blancs, les accommodements ne servent qu'à donner plus de pouvoir aux races inférieures et à limiter par le fait même celui des Blancs.*

*Les accommodements participent à la non-intégration des immigrants et leur donnent le message qu'ils sont libres d'agir à leur guise.*

*La race blanche n'a pas à accommoder les autres races. Elle leur est supérieure et en cela leur maître.*

[...]

# 41

Kate ouvrit l'œil, il devait être neuf heures. Elle n'avait pas si bien dormi depuis longtemps. Elle tendit le bras et vit que la place à côté d'elle était vide. Sylvio devait déjà s'activer à nettoyer les vestiges du repas de la veille. Elle sourit, puis s'étira longuement. Une douce chaleur envahit son corps. Elle huma l'odeur de Sylvio imprégné dans les draps et eut envie de l'appeler, mais elle se ravisa. Il valait mieux se lever. Élisabeth arriverait d'un instant à l'autre de sa nuit passée chez Mary Pettigrew. Elle paressa quand même encore quelques instants dans la tiédeur du lit.

— *Buon giorno bellissima...*

Kate avait pris sa douche et revêtu un kimono de soie noire, qui non seulement mettait sa fine silhouette en valeur, mais accentuait l'éclat de ses yeux couleur de charbon.

Elle enlaça Sylvio et déposa un baiser sur ses lèvres.

— Bonjour.

— Tu as fait la grasse matinée. Je suis content.

— Tu te trompes. J'ai tardé au lit pour te laisser le temps de tout nettoyer.

Kate se dégagea en riant.

— C'est moi qui fais le déjeuner. Je veux faire des gaufres pour Élisabeth.

Sylvio leur fit des expressos pendant que Kate s'affairait à préparer le mélange à gaufres et à faire griller le bacon, qu'elle réduirait en miettes pour l'incorporer à ces dernières.

— Ça s'est bien passé avec Beth cette semaine ?

Kate grimaça.

— Définis le mot « bien ».

— Ah...

— On n'a pas échangé de mots déplaisants, mais d'un autre côté on n'a pas échangé, point à la ligne. Elle s'est contentée de répondre oui ou non à toutes mes questions. J'ai pensé qu'il valait mieux ne pas insister. Tant qu'elle n'est pas impolie ou qu'elle ne disparaît pas sans avertir...

Sylvio déposa un baiser sur son front.

— Championne !

Kate sourit.

— Les gaufres... C'est une sorte de calumet de paix que je lui offre. Tu penses que ça va marcher ?

— Ça marche avec moi en tout cas !

Sylvio passa au salon, d'où il revint avec les journaux du samedi.

— T'es sorti ? dit Kate, surprise.

— J'étais debout aux aurores. J'ai pensé que ça te ferait plaisir.

Ils s'installèrent à table avec leur café et les périodiques. Une quinzaine de minutes plus tard, Sylvio déposa son journal.

— Dis donc, à quelle heure Élisabeth est-elle censée revenir ? Je commence à avoir sérieusement faim.

Kate regarda l'heure au mur. Dix heures trente... Elle fronça les sourcils.

— Elle devrait déjà être là. Je vais lui téléphoner...

Kate alla chercher le téléphone sans fil sur le comptoir, puis composa le numéro de Mary Pettigrew.

— Bonjour, Mary… Ça va ?

Kate l'écouta patiemment raconter ses petites histoires usuelles, puis en vint au fait.

— C'est gentil d'avoir gardé Élisabeth à coucher, est-ce que je…

Kate écarquilla les yeux en écoutant Mary, qui l'avait interrompue.

— Tu n'as pas vu Beth du tout ?

Son ton alarma Sylvio, qui se leva aussitôt pour s'approcher d'elle.

— Élisabeth n'a pas couché chez Mary…, lui chuchota-t-elle. Elle ne l'a pas vue et ne lui a pas parlé depuis une semaine.

Sylvio prit l'appareil de ses mains.

— Mary, c'est Sylvio.

Il l'écouta raconter ce qu'elle savait, puis la remercia en lui promettant de lui donner des nouvelles d'Élisabeth dès qu'il en aurait.

— Où est Beth ? demanda Kate, dès qu'il eut raccroché.

— Mary dit qu'il n'a jamais été question qu'elle passe la nuit chez elle. Elle nous a menti.

— Mais pourquoi ? Pour faire quoi ?

— Un garçon ? suggéra Sylvio.

Kate s'écrasa sur une chaise.

— Si elle nous a menti et si elle a découché à cause d'un garçon, elle n'a pas fini d'en entendre parler, dit Kate, qui préférait laisser le champ libre à sa colère plutôt qu'à son angoisse.

— Elle t'a déjà parlé d'un garçon en particulier ?

Kate le fixa.

— Jamais…

— Si elle n'est pas avec un garçon, elle a peut-être couché chez une amie.

— Qui ? Elle n'a pas d'amis, pas de famille, à part nous autres…

Kate s'arrêta.

— Marie Lampron… Elle pourrait s'être sauvée chez elle.

— Chez sa professeure privée ? demanda Sylvio, dubitatif.

Une vague de jalousie traversa Kate.

— Ça ne m'étonnerait pas. Élisabeth a développé une grande complicité avec elle. Elles ont leurs petits secrets… Comme l'histoire du concours, par exemple.

Kate se tut un instant, puis elle ajouta :

— Élisabeth trouve peut-être qu'elle ferait une meilleure mère que moi…

— Kate, ne dis pas de bêtise.

Kate le toisa, sans rien ajouter.

# 42

La possibilité que sa fille ait fait une fugue à cause d'elle tourmentait Kate au point qu'elle était figée dans l'inaction. Sylvio dut prendre les choses en main.

Il téléphona à Marie Lampron, qui, comme il s'en doutait, n'avait pas vu Élisabeth depuis son cours, le jour précédent. Elle n'avait rien trouvé de particulier chez son élève, sinon qu'elle était particulièrement fière d'un cadeau de la Saint-Valentin qu'elle avait préparé. La professeure avait ajouté que le récipiendaire était probablement un étudiant du cours de dessin pour qui elle en pinçait. Sylvio lui avait demandé si elle connaissait la nature du cadeau. Elle avait répondu qu'elle croyait qu'il s'agissait d'un portrait. Sylvio l'avait remerciée et avait raccroché.

Kate, qui s'était recomposée, n'avait pas manqué une seule seconde de la conversation de Sylvio avec Marie Lampron.

— Marie semble croire qu'Élisabeth s'intéressait à un garçon en particulier.

— Elle m'en aurait parlé.

— Kate…

Elle refusait de croire que Marie Lampron en savait plus qu'elle sur sa fille.

— Lampron se trompe. Je mettrais ma main au feu que c'est à Paul que s'adressait sa carte de la Saint-Valentin. Quand elle fait des portraits, c'est toujours de lui.

— Si elle s'était réfugiée au centre de réadaptation, Paul nous aurait avertis.

— Pas si elle lui a menti, comme elle nous a menti…

Ils tentèrent de le joindre dans sa chambre, mais ça ne répondait pas. Ça ne voulait cependant rien dire. Il pouvait être ailleurs dans le complexe. Ils décidèrent de prendre la voiture et s'y rendre.

— Kate ? Sylvio ?

Paul était surpris de les voir à sa porte. Kate se lança aussitôt :

— Élisabeth ? Est-ce qu'elle est ici ?

— Non…

— Est-ce qu'elle a couché ici ?

— Non…

— L'as-tu vue ?

Paul ne répondit pas. Il les fit entrer et referma derrière lui.

— Qu'est-ce qui se passe ?

Sylvio et Kate l'informèrent de la situation.

— Vous êtes certains que c'est une fugue ?

Sylvio et Kate se regardèrent. Paul comprit qu'ils n'avaient rien envisagé d'autre.

— Mon Dieu ! s'alarma Kate. Elle pourrait avoir fait une rechute. Ça pourrait même expliquer son comportement bizarre…

Sylvio lui agrippa le bras.

— Arrête, Kate. Élisabeth n'est pas en crise.

— Mais sa paranoïa…

Paul interrogea Kate du regard.

— Elle semble croire que j'ai fait quelque chose de pas correct… ou que je suis responsable de quelque chose… Sylvio, tu l'as entendue l'autre jour ?

— Oui, j'ai entendu ses accusations voilées, mais ça ne prouve rien… Les adolescentes disent et font des choses comme ça. Beth parle à demi-mot, Victoria le faisait aussi à l'adolescence. C'est à n'y rien comprendre, mais ce n'est pas la preuve d'un comportement schizophrénique.

Le mot était finalement sorti. Il flotta dans l'air encore un moment avant que Paul brise le silence.

— Quand je suis passé chez toi l'autre soir…

— Élisabeth n'a rien entendu. Elle ne savait même pas que tu étais passé.

Paul mesura ses paroles avant de les prononcer.

— Mais quelqu'un qui croirait que j'ai retrouvé la mémoire aurait pu aussi croire qu'Élisabeth savait des choses, des choses que j'aurais révélées sur mon enlèvement…

Kate et Sylvio le regardèrent.

— Mais Kate m'a dit que vous n'aviez parlé à personne de ton état…

Trudel hésita.

— Je ne sais pas si en retrouvant la mémoire j'ai retrouvé certaines habiletés que j'avais comme enquêteur, mais depuis que je suis passé chez toi l'autre soir, j'ai l'impression d'être observé…

— Tu crois que…, commença Kate sans être capable de terminer.

— Tant que l'Artiste rôde, c'est une possibilité qu'on ne peut négliger.

Kate était atterrée.

— Tu vas rapporter sa disparition ? demanda Paul.

Le mot la fit craquer, et elle fondit en larmes. Sylvio et Paul eurent le même élan de la prendre dans leurs bras. Trudel céda le pas à Sylvio.

— J'appelle le poste…, dit-il, préférant les laisser seuls.

# 43

Greta sortit son passeport de son sac Chanel. Elle ressentait toujours une certaine nervosité lorsqu'elle devait passer les douanes pour la première fois avec une nouvelle identité. Plantée devant le miroir des toilettes, elle leva le document à la hauteur de son visage et compara pour la centième fois la tête sur la photo à la sienne. Elle était descendue à Montréal, la veille, expressément pour parfaire son look. La coiffure était maintenant identique et les sourcils taillés sur le même modèle. Les corrections chirurgicales étaient impeccables et les cicatrices invisibles. Karla Brünner allait traverser les douanes sans problème.

Son cellulaire tinta. Elle vérifia autour d'elle qu'elle était bien seule et répondit.

— Oui ?

Elle écouta attentivement son interlocuteur. La surprise faillit lui faire perdre pied.

— Vous en êtes sûrs ?

L'homme à l'autre bout du fil avait vraisemblablement dit oui, car le sang commençait à quitter les joues de Greta.

— Ne relâchez pas la surveillance !

Elle s'arrêta. L'homme l'avait interrompue pour lui transmettre d'autres informations. Celles-ci eurent un effet contraire aux premières. Greta sourit.

— Beau travail. Continuez…

Elle glissa son pouce sur l'écran tactile du téléphone et la communication fut coupée.

Elle ne bougea pas pendant quelques secondes, savourant la carte frimée qu'elle avait maintenant en main. Cette carte, elle pourrait s'en servir contre les forces de l'ordre, mais également contre Simon. Elle ne se perdit pas en conjectures, elle n'avait pas à choisir tout de suite. Elle verrait comment se déroulerait la suite des événements.

Satisfaite, elle remit son téléphone et son passeport dans son sac, et sortit des toilettes. Pendant qu'elle attendait dans la file pour passer aux douanes, elle réfléchit au « problème » grandissant que représentait Simon.

Cela faisait près d'un mois qu'avait eu lieu le fameux déjeuner où elle avait cru qu'il perdrait son sang-froid avec l'aide philippine. Il n'avait jamais été aussi près de commettre l'irréparable, en situation non contrôlée. Bien sûr, ils étaient dans la quiétude du chalet, mais elle n'avait jamais vu Simon, depuis l'épisode de la serre, quand ils étaient enfants, agir sous le coup de l'émotion. Tout était planifié, réfléchi dans les moindres détails. Cette fêlure, qu'elle décelait maintenant, était pour elle la source d'une grande inquiétude. Combien de temps encore avant qu'il les mette tous irrémédiablement en danger ?

Elle réfléchit au complexe de déité qui habitait son frère. Il était inhérent à la profession qu'il avait choisi de pratiquer sous sa nouvelle identité. Cependant, elle avait toujours pensé qu'un jour ce complexe de Dieu assurerait sa perte. Le cas de Paul Trudel en était la preuve. Il avait négligé les risques que représentait l'inspecteur, et voilà que celui-ci semblait maintenant avoir accès aux secrets de sa mémoire retrouvée. Greta se félicita d'avoir mis l'inspecteur sous surveillance. L'appel qu'elle venait de recevoir justifiait le déploiement des membres de l'ANDEV, qu'elle avait mis au travail.

Son interlocuteur n'avait pu la rassurer quant à l'étendue des souvenirs retrouvés de Trudel, mais il semblait dire que l'Escouade n'avait rien entrepris de nouveau dans leur enquête sur Stein. Greta avait conclu qu'elle avait peut-être encore le temps d'« arranger » le problème. Elle avait aussi sa carte frimée…

— Karla Brünner ?

Greta hocha la tête. L'agent de douane examina la photo puis la tête de Greta. Il entra ensuite le numéro de passeport dans l'ordinateur. Le temps s'étira. Il estampilla finalement le document et lui souhaita un bon séjour.

Karla Brünner, alias Greta Stein, monta à bord de l'avion avec un sourire. Elle avait déjà un plan en tête.

# 44

Dès qu'il avait pris connaissance de la disparition d'Élisabeth, Todd avait émis un avis de recherche avec son signalement. Il avait ensuite préparé la salle de réunion pour l'arrivée de Kate, qui l'avait informé qu'elle serait accompagnée de Sylvio et de Paul Trudel. L'annonce de la présence de l'inspecteur, toujours amnésique à leur connaissance, avait étonné les membres de l'Escouade.

Labonté, Jolicoeur, Jacques et Todd étaient maintenant assis autour de la table et attendaient les ordres de leur chef. Ce ne fut pas Kate qui prit la parole mais l'inspecteur Trudel.

Il leur fit part de l'amélioration de son état de santé et s'excusa de ne pas l'avoir fait plutôt. Il invoqua les raisons de sécurité qui avait motivé cette décision, même si à l'heure actuelle il ne croyait plus à leur bien-fondé.

— Paul n'est pas encore entièrement remis de son épreuve, mais il va réintégrer les rangs de l'équipe, le temps de boucler l'affaire de l'Artiste… une fois pour toutes.

Ils s'étaient tous tournés vers Kate, qui avait pris la parole, et se demandaient pourquoi elle s'inquiétait de l'Artiste et non de la disparition de sa fille. Puis la lumière se fit.

— Vous croyez qu'Élisabeth est entre les mains de l'Artiste, parvint à articuler Jolicoeur.

Kate, Sylvio et Paul échangèrent des regards. Trudel répondit.

— On n'est sûrs de rien. La possibilité qu'elle soit entre les mains de l'Artiste existe, mais Élisabeth pourrait avoir fait une fugue ou… une rechute.

Sylvio pressa discrètement le bras de Kate.

Labonté, Jolicoeur et Todd se contentèrent de fixer le vide.

— Une rechute ? demanda timidement le sergent Jacques, qui ne connaissait rien du passé de l'adolescente.

— Élisabeth est une schizophrène en rémission, dit Trudel.

Maxime Jacques, qui ne savait comment réagir à cette annonce, se dit qu'il avait perdu une bonne occasion de se taire.

Kate attendit que tout le monde s'ajuste aux différentes informations et prit la parole.

— Ce sont des professionnels dont Élisabeth a besoin en ce moment, pas des amis ni des parents alarmés. Je suggère donc qu'on fasse ce que l'on fait le mieux : enquêter.

Elle n'eut pas besoin d'insister. Les têtes se relevèrent, les corps se redressèrent, et devant elle il n'y avait plus qu'une escouade d'hommes prêts à tout.

Il fut décidé que Trudel, en compagnie de Jacques, Labonté et Jolicoeur, reverrait entièrement le dossier de l'Artiste, et celui de la momie. Trudel accrocherait peut-être sur un détail, maintenant qu'il avait partiellement retrouvé la mémoire. Ils discutèrent également des dangers que courait Élisabeth si elle était entre les mains de Simon Stein…

— La prémisse est ténue, dit Jacques. Il faudrait que Stein ait su que Paul avait retrouvé la mémoire et qu'il ait cru que Paul s'était confié à Élisabeth. Ça fait beaucoup de suppositions.

— J'aurais tendance à penser la même chose, dit Kate, si je ne commençais pas à deviner l'ampleur de l'organisation derrière l'homme. Et il semble s'en servir comme bon lui semble.

— Supposons que Stein ait Élisabeth…, dit tout à coup Sylvio, qui jusque-là s'était contenté d'écouter. Quelles chances a-t-on de la retrouver vivante ?

La question tomba comme une massue. Qu'elle vienne de Sylvio était encore plus surprenant. Kate avait les yeux grands ouverts.

— À notre connaissance, aucune victime n'est morte alors qu'elle était entre ses mains…, dit Todd. On peut donc supposer que, s'il la détient, elle est encore vivante.

C'était uniquement pour entendre ces paroles que Sylvio avait posé la question. Tout autant que Kate, il avait besoin de ces mots comme de l'air qu'on respire.

Il fut décidé que Kate et Todd interrogeraient le professeur d'Élisabeth. Ils avaient besoin de trouver le point de départ de la disparition d'Élisabeth.

En d'autres mots, qui Élisabeth avait vu pour la dernière fois.

# 45

Quand Marco Branchini, le fils de Sylvio, avait appris la nouvelle de la disparition d'Élisabeth, il avait tout de suite pris congé et était allé chercher ses sœurs à l'école pour les emmener à Perkins. Kate et son père avaient besoin d'eux. Le clan Branchini serait là pour les soutenir.

Sylvio, qui avait pris congé de son poste, avait décidé que les enfants et lui assureraient la permanence au chalet. Élisabeth pourrait revenir, ou chercher à les joindre, un hôpital pourrait tenter d'entrer en contact avec eux... Malgré l'inquiétude qui la rongeait, Kate leur était reconnaissante. J'ai vraiment une famille, songeait-elle à présent, alors qu'ils étaient en route pour rencontrer l'artiste Manu, dont elle avait obtenu l'adresse de l'atelier par l'entremise du RAAV.

Ils avaient suivi un long chemin sinueux dans le bois et arrivaient maintenant devant une cabane en bois rond d'assez bonne dimension.

— On dirait une vieille cabane à sucre, dit Kate.

Todd éteignit le moteur et retira les clés du contact. Il jeta un regard circulaire à l'extérieur.

— Probablement... On est dans une érablière.

Kate sortit la première du véhicule. Elle ne vit aucune voiture, mais remarqua la fumée qui sortait de la cheminée.

— Son auto est peut-être de l'autre côté, dit-elle à Todd, qui sortait à son tour. En tout cas, on dirait qu'il est là. Il a fait un feu.

Ils avaient essayé de joindre l'homme au numéro de cellulaire que le RAAV leur avait transmis, mais ils obtenaient toujours la même réponse : la ligne n'était présentement pas en service.

Kate frappa quelques coups contre la lourde porte de bois. Après ce qui leur parut une éternité, le professeur ouvrit finalement.

— Oui ?

Todd fit les présentations et demanda s'ils pouvaient entrer. Kate vit l'inquiétude dans ses yeux lorsque Todd mentionna qu'ils désiraient l'interroger au sujet d'une de ses étudiantes, Élisabeth McDougall.

— McDougall… C'est votre fille ?

Todd ne laissa pas à Kate le temps de répondre.

— On peut ? dit-il, désignant l'intérieur du bâtiment.

Manu obtempéra et ils se retrouvèrent dans une immense pièce, plutôt délabrée, qui servait de cuisine, de salle à manger, de salon et d'atelier. D'après ce que les enquêteurs pouvaient en juger, la grande pièce de l'entrée donnait en son milieu sur un couloir, sur lequel s'ouvraient d'autres portes. Todd évalua qu'il y en avait à peu près deux de chaque côté.

— Excusez le désordre…, dit l'homme. Je n'ai pas l'habitude de recevoir dans mon atelier.

— Vous ne vivez pas ici ? dit aussitôt Kate.

— Non. Je me sers de la vieille cabane à sucre comme atelier uniquement. Je vis ailleurs sur la propriété.

Kate hocha la tête.

— Quand avez-vous vu Élisabeth pour la dernière fois ? demanda Todd.

Encore une fois, Kate eut l'impression que l'homme était inquiet.

— Pourquoi ?

— Elle a disparu.

Kate crut le voir tressaillir.

— Elle était au cours, hier soir… puis, elle est partie à la fin.

— À quelle heure ?

— Le cours finit à vingt et une heures. Le temps qu'elle range ses choses… Elle est sortie une des premières, je me rappelle.

Kate n'arrivait pas à lire l'homme.

— Elle était comment pendant le cours… Normale ? Inquiète ? Nerveuse ?

Manu piétinait.

— Normale… J'imagine.

Kate et Todd échangèrent un regard.

— Je suis désolé, mais je ne sais trop quoi vous dire. Je ne l'ai pas vue depuis le cours.

Kate jeta un dernier coup d'œil autour d'elle. La pièce était un fouillis sans nom. Elle ne vit rien qui retienne son attention.

— Merci, dit-elle.

Kate et Todd retournèrent en silence à leur voiture. Avant d'ouvrir la portière, Kate regarda vers la cabane.

— Qu'est-ce qu'il y a ? demanda Todd.

— Comment tu l'as trouvé ?

— Nerveux.

Kate s'engouffra dans la voiture. Todd l'imita et mit les clés dans le contact.

— Tu crois qu'il cache quelque chose ?

— *I don't know…*

Todd mit la voiture en marche et se tourna vers Kate.

— *Are you OK?*

Elle était pâle à faire peur et sa respiration était courte.

— Oui, oui, ça va aller…

Kate avait réussi à se contenir durant toute la journée, mais son inquiétude atteignait maintenant un paroxysme. Elle reformulait constamment la même question dans sa tête : Où es-tu, Élisabeth ?

# 46

La *famiglia* était là, qui l'attendait.

Quand Kate les vit s'activer à préparer le repas, à nourrir Millie et Merlin et à faire du feu dans la cheminée, le courage lui manqua presque. Autant la scène la réjouissait, autant il y manquait cruellement un personnage : son Élisabeth.

À sa vue, ils stoppèrent illico leurs activités. Sylvio l'interrogea du regard. Kate fit non de la tête et ne put se contenir plus longtemps. Elle fondit en larmes.

— *Cara*..., dit Sylvio en l'entraînant aussitôt à l'écart dans le salon.

Marco, Victoria et Isabella n'eurent pas besoin de consignes. Pour leur laisser un peu d'intimité, ils s'éloignèrent à la cuisine terminer dans un silence presque religieux les préparatifs du repas.

Kate, lovée dans les bras de Sylvio, s'épanchait.

— *Carissima, carissima*..., répétait sans cesse Sylvio.

— Je n'aurais jamais cru que je pourrais aimer quelqu'un à ce point, dit Kate soudain. C'est une partie de moi qui a disparu.

— Je sais...

Kate était intarissable.

— J'ai l'impression de nager dans une tempête en pleine mer. Les vagues sont immenses. Je ne parviens pas à les surmonter. Je vais me noyer… Mais je ne peux pas. Il faut que je sauve ma fille, qui est quelque part dans cette montagne d'eau…

Sylvio berçait Kate, mais sa propre émotion l'étouffait.

— Oh, Sylvio… Qu'est-ce que je vais faire si on ne la retrouve pas ? Je ne sais pas si je pourrais vivre sans elle…

— Non !

Son ton saisit Kate.

— Ressaisis-toi. Tu as passé à travers pire dans ta vie. Notre fille a besoin que tu gardes toute ta tête.

— Notre fille…

— Oui. Ma fille, ta fille, leur sœur…

La *smala* Branchini s'était approchée. Kate leva les yeux vers eux. On eût dit un signal. Ils se jetèrent tous sur le divan pour les envelopper de leur amour. Puis, un torrent de paroles : ils étaient inquiets, ils aimaient Élisabeth… Qu'est-ce qu'ils pouvaient faire ?

— Avez-vous une piste ? demanda finalement Marco, l'aîné.

— On ne sait pas encore qui est la dernière personne à l'avoir vue. Le moment de sa disparition est capital pour déterminer dans quelle direction on doit chercher.

— On va la retrouver, déclara Isabella.

Sa confiance émut Kate.

— On va la retrouver parce que toi et papa, vous êtes les meilleurs. C'est votre métier.

Cette déclaration incongrue eut un effet étonnant sur Kate. Pour la première fois depuis la disparition de sa fille, elle réussit à se placer à l'extérieur de la situation. Isabella avait raison. Élisabeth ne pouvait rêver d'une meilleure équipe pour la retrouver.

Cette pensée la réconforta. Pour le moment, du moins.

# 47

Lorsqu'elle revint de son voyage en Virginie, trois jours plus tard, Greta trouva le chalet étonnamment vide. Pas le moindre signe de la présence de Simon, de Veronika, ni même de Zia. L'absence de celle-ci la dérangea tout particulièrement. Où pouvait-elle bien être ? Elle l'appela une fois de plus :

— Zia !

Toujours pas de réponse. Elle regarda ses bagages et soupira. Elle devrait les défaire elle-même, si elle ne voulait pas que ses vêtements se froissent. Irritée, elle traîna sa valise jusqu'à sa chambre. Elle prit quand même la décision de se faire un thé avant d'entreprendre la tâche fastidieuse. En mettant les pieds dans la cuisine, elle sut que quelque chose n'allait pas. Elle aurait dû trouver une cuisine propre, au lieu de cela le plan de travail était dans un état lamentable. Dessus, les restes de la préparation d'un repas, qui datait de plusieurs jours. Elle reconnut les ingrédients du plat que Zia lui avait servi avant son départ.

Greta examina les autres pièces. La chambre de Zia était en parfait ordre. Le lit fait, les vêtements rangés dans la penderie comme Greta l'exigeait. Elle fit le décompte des uniformes suspendus. Si elle comptait celui que Zia revêtait sûrement présentement, le compte était bon. Elle trouva la chambre de Simon et Veronika en désordre, le lit défait et des vêtements sales empilés dans un coin. Que des vêtements appartenant à Simon. Elle fit le tour des autres chambres occupées par les employés. Elles avaient toutes été vidées de leur contenu.

Greta se réfugia au salon et réfléchit longuement à la signification de ce qu'elle avait vu. Elle en arrivait toujours à la même conclusion. Simon semblait être le seul à avoir mis les pieds dans la maison depuis son départ. Où étaient Veronika, Zia et les autres ?

Elle sursauta lorsqu'elle entendit une clé tourner dans la serrure de l'entrée. C'était sûrement Simon. Elle prit une grande inspiration et se rendit à l'avant pour l'accueillir.

— Ah, tu es là, dit Simon en la voyant. Comment s'est passé ton voyage ?

Greta tressaillit. Son frère devait être l'instigateur de ces absences, sinon il l'aurait tout de suite interrogée.

— Très bien.

Elle hésita puis ajouta :

— Tu n'es pas avec Veronika ?

Il la toisa, du haut de sa superbe.

— Non.

Il l'abandonna dans l'entrée, comme une domestique, et se dirigea au salon. Greta se demanda s'il n'était pas déjà trop tard pour le plan qu'elle avait mis en action en Virginie avec l'aide de ses alliés. Le sort de l'ANDEV était peut-être déjà hypothéqué par les actions de Simon pendant son absence. Elle devait absolument en savoir plus. Greta prit la direction du salon, déterminée à obtenir des réponses de son frère.

— Simon…

— Plus tard. Je suis fatigué.

— Non ! Tout de suite !

Simon fut tellement surpris par le ton de sa voix qu'il ne répliqua pas sur le coup.

— Où sont Veronika et Zia ?

— Tu t'inquiètes pour l'aide ménagère maintenant ?

— Veronika est ta compagne.

— Était.

Devant l'air éberlué de sa sœur, il ajouta avec un sourire en coin :

— Elle avait dépassé sa date de péremption.

Greta serra les mâchoires.

— Et Zia ?

Greta pouvait voir que Simon hésitait entre se fâcher et pérorer sur ses actions. Elle ajouta, en essayant d'avoir le ton le plus badin possible :

— Qu'est-ce que tu as encore fait ?

Simon lâcha sa garde et lui raconta dans les détails ce qu'il avait déjà baptisé sa « soirée petits fours ». Greta écouta sans grimacer, malgré sa révulsion, davantage soucieuse de s'assurer qu'il n'avait pas laissé de traces de sa perversion.

— Et les autres ? Qu'as-tu fait des autres ?

Simon commençait à être las de ses questions.

— Je les ai envoyés au camp de Coaticook. J'en avais assez de les voir.

Greta fut soulagée. Maintenant convaincue que tout n'était pas encore perdu, elle déplora, à la blague, une montagne de lavage à faire à cause de Simon, et s'éclipsa dans sa chambre. Une fois là, elle prit le combiné sur son secrétaire et composa un numéro. Lorsque son interlocuteur décrocha à l'autre bout, elle dit simplement :

— Jonestown.

# 48

Cela faisait maintenant quatre jours qu'Élisabeth avait disparu. Deux fois quarante-huit heures. Deux fois le nombre d'heures où ils pouvaient statistiquement espérer la retrouver vivante.

— Peut-être devrions-nous prendre un peu de repos, dit Trudel à ses collègues.

Les sergents Jacques, Labonté et Jolicoeur n'avaient presque pas dormi depuis quatre jours. Leur allure en témoignait. Leur moral aussi. Ils étaient dépassés par l'ampleur de l'enquête à mener. S'ils supposaient que l'Artiste détenait Élisabeth, il leur fallait résoudre l'enquête qu'ils n'étaient pas parvenus à boucler jusqu'ici pour la retrouver. Si Élisabeth avait fait une fugue, c'était presque aussi improbable qu'il la retrouve que ce l'était pour les autres fugueurs. Les statistiques étaient écrasantes. Si elle avait fait une rechute… Comment suivre logiquement la piste de quelqu'un qui ne répond plus à aucune logique ?

Ils avaient pris d'assaut la salle de conférence. Sur tous les murs, des photos : clichés des victimes des attaques de l'année précédente, photos de la scène de crime du marais, instantanés pris dans l'entrepôt où ils avaient trouvé Trudel... Sur la table, même bordel: rapports d'enquête, comptes rendus d'interrogatoires, rapports d'autopsie, analyses du laboratoire... Tout avait été lu, relu, inspecté à la loupe, décortiqué. Toutes les hypothèses avaient été revues, corrigées, remises en question, mises en lumière... Ils n'avaient pas avancé d'un iota.

Le sergent Jacques se leva.

— Quelques minutes d'air frais et je vais être prêt à recommencer.

Labonté et Jolicoeur l'imitèrent. Personne ne voulait se sentir responsable d'abandonner Élisabeth à son sort.

Trudel resta cependant sur place. Il était cloué à son fauteuil. L'enquête l'accablait. Il savait, bien sûr, que son état psychologique était fragile, mais il n'aurait pas cru être assommé à ce point. Il pensait, au contraire, que reprendre du service, que s'activer à ce qu'il paraissait faire le mieux l'aiderait à reprendre le cours de sa vie. Mais de toute évidence, ce n'était pas le cas. Il en était même au point de se demander s'il ne nuisait pas à l'enquête.

Il s'extirpa avec difficulté de son siège, son manque de sommeil et le stress ayant amplifié les séquelles physiques de la torture qu'il avait subie aux mains de Stein. Il fit quelques pas pour se dégourdir. En marchant autour de la pièce, il s'attarda sur les photos au mur.

Depuis quatre jours qu'ils les examinaient, elles n'avaient suscité chez lui qu'un profond malaise. Tout particulièrement celles des toiles trouvées dans l'entrepôt où il avait été séquestré. Mais qui n'aurait pas été ébranlé à la vue de son propre cadavre ?

Trudel s'arrêta devant l'une des toiles reproduites en photo.

Il cherchait à comprendre ce qu'il ressentait devant ces « œuvres ». À ce qu'il avait compris, c'était la reproduction fidèle de l'état dans lequel on l'avait retrouvé. Sa mort et la putréfaction de son corps en moins. Il n'avait pourtant aucun souvenir des sévices qu'il avait subis aux mains de Stein, si ce n'est les courbatures, raideurs et incapacités physiques qui en résultaient. Néanmoins, il ressentait toujours un profond malaise en les regardant. L'impression d'une main fouillant ses entrailles serait plus exacte.

Il eut un haut-le-cœur. La tête lui tournait. Il dut se retenir pour ne pas tomber. Il chercha la chaise la plus proche et s'y laissa tomber.

— Ça va ? demanda le sergent Jacques, qui entrait au même moment.

Trudel se redressa.

— La fatigue…

Jacques lui fit signe qu'il comprenait et reprit la lecture du dossier dans lequel il était plongé avant d'aller dehors.

Trudel, encore ébranlé par le malaise qu'il venait de ressentir, décida qu'il valait mieux rentrer au centre de réadaptation se reposer. Il ne leur serait d'aucune utilité dans cet état.

# 49

Une semaine ! Kate n'avait même plus de mots pour décrire l'état dans lequel elle se trouvait.

L'attente était devenue insoutenable. Mais la possibilité qu'elle dure le reste de ses jours s'ils ne retrouvaient pas Élisabeth, morte ou vive, était encore plus intolérable. Elle ne pourrait pas survivre à la main qui lui broyait le cœur, à l'écrasante absence de sa fille. Il lui fallait agir pour ne pas succomber à l'anesthésie bienfaisante de l'alcool, qui l'appelait plus que jamais. Elle avait donc décidé qu'elle reprendrait, avec toute l'équipe, les interrogatoires effectués auprès des étudiants du cours de dessin. Todd et Labonté s'occuperaient de ceux qu'elle n'avait pas elle-même interrogés lors de leur première visite, tandis que Jolicoeur et elle intervieweraient les élèves dont Todd s'était chargé. Quant à Trudel et au sergent Jacques, ils allaient se concentrer sur le professeur, Manu.

— Allons-y ! dit Kate aux sergents déjà en place dans le stationnement de l'université lorsqu'elle sortit de voiture.

Trudel, Labonté, Jolicoeur et Todd lui emboîtèrent le pas. Jacques demeura sur place.

— *Problem ?* demanda Todd, qui s'arrêta en le voyant faire.

Le sergent Jacques, l'air perplexe, regardait une voiture verte stationnée à l'autre bout du parking.

— Une seconde...

Jacques s'avança vers le véhicule pour mieux l'examiner, la pénombre de la fin du jour rendant la chose difficile. Todd vint le rejoindre.

— Je connais cette voiture, dit-il. Je l'ai vue le soir où l'on est venus chercher la petite. J'avais eu le même *feeling*...

— Quel *feeling* ?

— Que c'était important.

Jacques prit le numéro de la plaque minéralogique et retourna à la voiture balisée pour vérifier à qui elle appartenait. Todd en profita pour en scruter le contenu à travers les glaces. Bouteilles d'eau vide, canevas vierges, papiers graisseux de malbouffe...

— Je le savais !

Todd leva la tête en direction du cri et s'avança près de la voiture de service, d'où Jacques venait de s'extirper.

— Mark Nunnelly ! La voiture appartient à Nunnelly.

Todd lui jeta un regard étrange.

— Et ?

— Qu'est-ce que sa voiture fait ici ?

— C'est un professeur. Il enseigne ici. C'est normal d'y trouver sa voiture.

Jacques eut l'air dépité. Bien sûr, il le savait. C'est même lui qui avait interrogé Nunnelly. Pourquoi diable avait-il l'impression que la chose était importante ? Une fois de plus, la pensée qui cherchait à s'imposer dans son esprit se dissipa.

— Cette enquête va me rendre fou, conclut-il, reprenant le chemin de l'université.

Kate, Labonté et Jolicoeur avaient déjà divisé le groupe en deux lorsqu'ils pénétrèrent dans la salle de cours. Elle allait présenter l'artiste Manu au sergent Jacques lorsque celui-ci s'exclama :

— Mark Nunnelly !

L'homme, que tous les présents connaissaient sous le nom de Manu, leva les yeux dans sa direction.

— Oui ?

# 50

Comment avaient-ils pu passer à côté du fait que l'artiste Manu et le professeur Mark Nunnelly n'étaient qu'une seule et même personne ? Kate n'en revenait toujours pas.

Cela leur avait pris un moment à comprendre qu'une série de coïncidences les en avait empêchés. D'abord, le seul à avoir interrogé Nunnelly, donc à l'avoir vu pour de vrai, était le sergent Jacques. Toutes les informations qu'ils avaient dénichées à son sujet ne concernaient que sa carrière de professeur. Normal, il peignait sous un pseudonyme. L'adresse de Manu que Todd et Kate avaient obtenue du RAAV les avait menés à son atelier. Si le RAAV leur avait donné l'adresse de sa résidence, ils auraient pu voir qu'elle était identique à celle de Nunnelly, mais ce n'avait pas été le cas. Ils n'avaient pas vu la voiture de Nunnelly au studio de Manu. Le nom Nunnelly avait une consonance anglophone, alors que celui de Manu, ça faisait tellement français… Ils n'avaient pas erré, mais avaient été induits en erreur, par le hasard.

— Mark Nunnelly. Ma… nu…, dit Jolicoeur.

L'évidence après le fait.

La veille, une fois la situation débrouillée, ils avaient suivi le programme prévu. Ils avaient interrogé tous les étudiants un à un, pour aboutir au même point. La dernière personne à avoir vu Élisabeth était Nunnelly, juste au moment où elle quittait le cours. Personne ne se rappelait être sorti en même temps qu'elle ou l'avoir aperçue dans le stationnement. Elle avait disparu en franchissant la porte de la classe. Pouf!

Huit jours sans nouvelles... et pas une seule piste. La mine des enquêteurs de l'Escouade, maintenant réunis autour de la table de la salle de conférence, était encore plus grise. Ils n'allaient pas tenir longtemps à ce rythme. Trudel en était la preuve. Son état de santé s'était dégradé durant les quatre derniers jours. Il souffrait de maux de tête de plus en plus violents.

Kate remua sur son siège. Huit jours...

Elle ne pouvait se permettre de laisser la panique l'envahir. La mer d'émotions qui la frapperaient l'emporterait. Elle coulerait à pic.

— On doit se demander si cette information, le fait que Manu et Nunnelly soit une seule et même personne, change quelque chose à la situation, dit-elle pour reprendre le contrôle de ses émotions. En quoi Manu éclaire-t-il Nunnelly, ou vice versa?

Kate avait posé la question comme s'ils s'apprêtaient à pénétrer sur un champ de bataille: la voix claire et ferme. Cela eut pour effet de ressaisir les troupes. Le sergent Jacques se lança le premier.

— Je ne sais pas pour vous autres, mais... je ne peux pas mentionner le mot « artiste » sans penser à l'autre. On s'est demandé si Stein n'était pas derrière l'affaire de la momie... et la victime de cette affaire a été retrouvée sur le terrain de Nunnelly... et on sait maintenant que Nunnelly est un artiste... Je ne sais pas, mais il me semble que un plus un égale deux.

Il n'était pas le seul à avoir fait cette équation. Ils l'avaient tous faite.

— Que des conjectures basées sur des conjectures…, laissa tomber platement Trudel, en se massant les tempes. On a besoin de solide si on veut obtenir un mandat d'arrêt pour fouiller sa vie.

Kate réfléchissait.

— Même si je souhaite ardemment que Nunnelly soit la nouvelle identité sous laquelle se cache Stein… trop de faits s'y opposent. Par exemple… il faudrait que Mark Nunnelly, celui qui a grandi dans ce village, ait disparu de la circulation au moment même où Stein se magasinait une nouvelle identité. Et même à ça… Le père de Nunnelly était vivant à cette époque. Il me semble qu'il se serait rendu compte de la substitution.

Kate tomba sur le visage de Labonté. Il avait le sourire fendu jusqu'aux oreilles.

— Tu sais des choses qu'on ne sait pas… Accouche !

Labonté et Jolicoeur fourragèrent dans les dossiers sur la table. Finalement, Jolicoeur en extirpa un de l'amas.

— Trouvé !

Il le tendit à Labonté.

— C'est le rapport qui a été fait sur Nunnelly quand son père s'est suicidé.

Le sergent consulta le dossier et s'arrêta sur une page.

— Les parents de Nunnelly ont divorcé quand il avait sept ans. Sa mère en avait la garde exclusive. Mark Nunnelly a vécu à Montréal avec sa mère jusqu'à la mort de celle-ci en 1996. Il n'est arrivé dans les Cantons de l'Est qu'après cette date…

— Le séjour de Stein en institution psychiatrique s'est terminé en 1993, *right* ? demanda Todd Dawson.

Kate hocha la tête.

— Exact. Et peu de temps après, il disparaît complètement du radar.

— Mais on ne sait pas exactement à quel moment il a pris une nouvelle identité. Ça aurait pu être en 1996, conclut Jolicoeur. Mark Nunnelly a peut-être été sacrifié pour donner une identité à Stein…

L'excitation gagnait peu à peu les membres de l'Escouade. Allaient-ils, du même coup, retrouver Élisabeth, résoudre l'affaire de l'Artiste et celle du marais ? Kate n'osait l'espérer.

— OK, supposons que Nunnelly est Stein… Il faut revoir tout à partir de cette hypothèse. Absolument tout.

Ils travaillèrent comme des forcenés le reste de la journée, cherchant à valider l'hypothèse que Simon Stein, autour de 1996, avait usurpé l'identité de Mark Nunnelly.

Après trois heures de recherches qui n'aboutirent à rien, Kate leur annonça qu'elle avait besoin de prendre l'air.

Elle quitta la salle en proie à la pire crise d'angoisse de sa vie.

# 51

Kate se réfugia dans sa voiture de service, où elle savait y trouver, dans la boîte à gants, un vieux contenant d'anxiolytiques. Elle l'en extirpa et s'arrêta comme elle tentait d'en dévisser le couvercle.

Son cœur battait à tout rompre, elle transpirait, avait de la difficulté à respirer… Pourtant, elle savait qu'elle devait tenter de contrôler la crise sans prendre de médicaments. Avec les pilules, elle laisserait tomber sa garde. Sa garde tombée… ses démons referaient surface. Elle n'en doutait pas une seule seconde.

Elle remit la bouteille dans le coffre et se concentra sur sa respiration. Elle devait la contrôler. Marquise Létourneau lui avait montré comment faire. Elle se concentra. Elle inspira très lentement, puis expira à la même vitesse. C'était difficile, parce qu'elle s'affolait dans sa tête. Elle avait l'impression de manquer d'air. Elle parvint quand même à garder le rythme. Peu à peu, son pouls décéléra, sa respiration se fit plus facile. Elle était en nage.

Elle mit la clé dans le contact et fit démarrer le moteur. Elle avait besoin de chauffer la voiture, si elle ne voulait pas attraper la crève. Après quelques minutes, l'habitacle devint tiède et elle cessa de grelotter. La crise s'était complètement résorbée.

Elle quitta le poste sans trop savoir où elle se dirigeait. Elle s'arrêta finalement dans le stationnement de la bibliothèque de Knowlton, la Pettes Library. Elle sortit de voiture et, tel un automate, entra dans l'édifice.

Elle avait toujours trouvé réconfortant ses visites à la bibliothèque, surtout durant son enfance. À l'époque de ses pérégrinations d'un foyer d'accueil à l'autre, la bibliothèque était toujours là. Jamais la même, mais toujours la même ambiance sécurisante, le même puits de savoir, le même accueil chaleureux. Les bibliothèques, quand elle y repensait, avaient été ses seuls foyers d'enfance.

Kate regarda autour d'elle. Elle aimait celle-ci. Une vieille bâtisse de style victorien, qui témoignait de cette partie du Québec, restée fidèle à sa reine.

Kate profita de sa visite pour approfondir ses connaissances sur les vanités, ces compositions dont raffolait Stein. Retourner à la case départ, son mot d'ordre du jour. La bibliothécaire lui proposa différents livres d'art sur le sujet. Kate élimina ceux qu'elle connaissait déjà et alla s'asseoir à l'écart.

La quiétude de l'endroit l'apaisait. Elle avait bien fait d'y venir. Sans laisser ses pensées dériver dans les zones qu'elle savait dangereuses, Kate tenta de faire le point sur la disparition de sa fille avant d'entamer ses lectures. Ici, dans ce havre de paix, elle sentait qu'elle pouvait le faire.

Élisabeth avait disparu, huit jours plus tôt. Personne ne l'avait aperçue après qu'elle eut passé le seuil de la classe. La dernière personne à l'avoir vue était en fait son professeur, Manu, un artiste de la région, dont le véritable nom était Mark Nunnelly. Celui à qui appartenait la terre où la momie avait été retrouvée. Momie qui avait maintenant une identité : Gabriel Boucher, un homme d'affaires de Montréal, disparu l'automne précédent.

Dans toutes leurs recherches, ils n'avaient pas trouvé de raison logique pour laquelle Nunnelly aurait tué Boucher. Un Mark Nunnelly sain et en santé n'avait pas de mobile. Mais un Mark malade ? Oui. Ou un Mark qui serait en réalité Simon Stein ? Très certainement. Kate se dit qu'elle pouvait sans se tromper arriver à la conclusion que si Nunnelly avait tué l'homme du marais, qu'il soit lui-même ou Simon Stein, c'était un homme extrêmement dangereux. Et cet homme était le dernier à avoir vu sa fille.

Kate frissonna. Elle ne devait pas laisser son imagination s'enfiévrer. Sa fille avait besoin d'elle avec toute sa raison. Elle s'attaqua aux livres posés devant elle.

Elle comprenait l'idée derrière ces compositions, qui représentaient la destinée mortelle des hommes. Cette éternelle « vanité » dont souffraient les hommes, celle de se croire immortels. Cependant, elle ne pouvait pas dire qu'elle était transportée par ces œuvres. Les vanités, souvent des natures mortes en décomposition, des visages qui n'étaient plus que des crânes, ou encore des performances d'artistes habillés de matière périssable, la répugnaient à vrai dire. Tout ça était trop intellectuel. Pour elle, l'art devait être synonyme de beauté. Marie-Agnès Vallières, la conservatrice du Musée McCord, lui avait souvent dit en riant qu'elle devait faire la différence entre œuvre d'art et art décoratif.

Kate ferma le dernier livre. Elle regarda sa montre. Elle avait le temps de fureter sur le Web à la recherche d'autres informations. Sur Google, elle trouva plusieurs sites où l'on parlait des vanités. Elle cliqua sur quelques liens puis tomba par hasard sur un site où l'on parlait d'une œuvre dont le titre était tout bêtement *La Vanité*.

Une eau-forte de Jacques Callot qui représentait une femme du XVII^e^ siècle affublée d'un costume ridicule, avec une sorte de petit diable ailé papillonnant autour de sa tête.

Ce n'est pas la toile qui l'intéressait, ni le fait que ce soit une vanité, mais le procédé que Callot avait utilisé. C'était une gravure à l'eau-forte. Un procédé qui utilisait de l'acide nitrique étendu d'eau.

Kate fit rapidement une autre recherche…

Bingo !

Elle faillit faire tomber une vieille dame à la renverse lorsqu'elle se précipita vers la sortie.

# 52

En moins de deux, Kate était de retour au poste et trente minutes plus tard, son équipe et elle étaient en route pour la résidence et l'atelier de Mark Nunnelly.

Elle avait expliqué à son équipe que l'œuvre de Callot l'avait interpellée à cause du procédé utilisé par l'artiste. Puis, elle s'était rendu compte que, si la technique avait suscité son intérêt, c'est qu'elle l'avait déjà vue dans l'atelier de Mark « Manu » Nunnelly. Elle avait fait quelques recherches rapides, lui confirmant que Manu faisait bel et bien des gravures à l'eau-forte, et qu'il était donc en possession d'acide nitrique. Le cadavre d'un homme dont le visage et les mains avaient été mutilés à l'acide nitrique avait été découvert sur sa terre. La coïncidence était suffisante pour justifier qu'ils l'emmènent au poste subir un interrogatoire et obtiennent un mandat de perquisition.

— Soyez vigilants ! lança Kate à ses troupes.

Les enquêteurs de l'Escouade, aidés de quelques agents, encerclèrent la maison. Kate frappa à la porte d'entrée. Mark Nunnelly ouvrit. Pendant que Kate lui tendait le mandat de perquisition, les agents se faufilaient déjà à l'intérieur.

— Mais qu'est-ce que ça veut dire ?

— On aimerait que vous veniez faire un petit tour avec nous au poste.

Kate l'avait agrippé par le coude. Nunnelly réagit vivement pour se dégager. Aussitôt, pas moins de trois Glock étaient pointés sur lui.

— *What the f...*

— Rangez vos armes ! ordonna aussitôt Kate. Nunnelly n'est pas armé !

Tous les pistolets retournèrent dans leurs étuis et la tension baissa d'un cran.

— Allez-vous m'expliquer ? cria presque Nunnelly, encore sous le choc.

Kate jugea qu'il valait mieux répondre à quelques-unes de ses questions. Elle pourrait par la suite mieux l'inciter à les suivre au poste.

— Qu'est-ce que vous voulez savoir ?

— Pourquoi vous êtes ici ? Et qu'est-ce que vos hommes font dans ma maison ?

Kate adopta un ton calme, rassurant.

— Vous êtes le dernier à avoir vu ma fille avant qu'elle disparaisse.

Elle avait utilisé les mots « ma fille » pour l'intimider. La tactique avait fonctionné. Nunnelly semblait plus « contenu ».

— Vous ne l'avez pas encore retrouvée ?

Il paraissait sincèrement surpris. Kate songea qu'il aurait aussi fait un grand acteur.

— Non. On doit donc éliminer toutes les pistes une à une. Investiguer tous les suspects potentiels.

— Vous me suspectez ?

— On ne peut pas ne pas enquêter sur la dernière personne à l'avoir vue...

Nunnelly n'avait pas l'air convaincu. Il ne dit cependant rien. Son attention venait de bifurquer vers les agents qui se préparaient à aller perquisitionner son atelier.

— Où est-ce qu'ils vont ? demanda-t-il, soudain agité.

Kate regarda en direction des hommes qu'il désignait et comprit. Nunnelly ne voulait pas qu'ils entrent dans l'atelier. Élisabeth pouvait-elle s'y trouver ?

— Venez avec moi, monsieur Nunnelly, dit Kate. Nous serons plus à l'aise au poste pour discuter. Il fait froid dehors, et on ne peut aller à l'intérieur. Mes hommes ont besoin qu'on les laisse faire leur travail en paix. Plus vite ils auront terminé, plus vite vous serez disculpé.

Nunnelly hésita. Il regardait les hommes s'éloigner dans le bois sur le sentier qui reliait la maison à l'atelier.

— Venez, insista Kate.

Il la suivit. Kate le fit passer à l'arrière d'une voiture banalisée et demanda à l'agent d'emmener M. Nunnelly au poste et de le faire patienter dans la salle d'interrogatoire.

Nunnelly la fixait à travers la vitre pendant que la voiture s'éloignait. Il avait une expression indéfinissable.

# 53

Kate s'était précipitée à l'atelier de Nunnelly. Les chances qu'elle y trouve Élisabeth étaient minces, elle s'en doutait bien. Si Nunnelly avait enlevé sa Beth, il ne la gardait sûrement pas dans cet atelier. Tout de même, elle ne pouvait s'empêcher d'espérer.

Labonté et Jolicoeur avaient pris en charge la perquisition de l'atelier. Avec l'aide de trois agents, ils ratissaient maintenant la vieille cabane à sucre qui servait d'atelier.

— Pas de signe de la présence d'Élisabeth ?

Le sergent Labonté ne répondit pas, mais vint jusqu'à elle. Il tenait dans ses mains un sac de plastique, du genre servant à recueillir des indices, qu'il lui tendit. Kate le prit en l'interrogeant du regard.

— On l'a trouvé sous une pile de dessins.

Kate regarda le sac. À l'intérieur se trouvait un dessin, un portrait de Nunnelly. Elle reconnut tout de suite le trait de crayon de sa fille. Ce fut comme un coup de poing au ventre.

Kate lut l'inscription au bas de l'esquisse :

— « Pour l'artiste bleu, de l'artiste aux yeux céruléens »… Mon Dieu ! Ça vient de Beth…

Labonté hocha la tête.

— Elle a mis son nom derrière.

Kate retourna le sac. La griffe fine d'Élisabeth s'y trouvait, ainsi que la date : 18 février 2012. Le jour de sa disparition…

— C'est une carte de la Saint-Valentin, murmura Kate.

— Elle pourrait lui avoir donnée à l'université…

Kate était figée, les yeux rivés sur le sac.

— Les gars ont relevé toutes les empreintes possibles. Si Élisabeth est passée ici, on va le savoir.

— Je vais voir si je trouve autre chose qui lui appartiendrait… un morceau de vêtement… son sac…

Le sergent Labonté ne dit rien. Il avait déjà fait le tour de la cabane. Il doutait que Kate trouve quoi que ce soit, mais il comprenait. Elle avait besoin d'agir pour ne pas devenir folle. Il comprenait probablement plus que quiconque, lui qui avait perdu sa fille à l'âge de quatre ans. Un moment d'inattention de la gardienne et la petite s'était noyée dans la piscine. Il serait devenu dingue s'il ne s'était pas lancé à corps perdu dans l'enquête qu'il menait à l'époque.

— Labonté !

Le sergent se tourna en direction de la voix. C'était Jolicoeur qui arrivait de l'extérieur. Il était allé inspecter un appentis à l'arrière de l'édifice.

— Qu'est-ce que…

Labonté ne finit pas sa question, il venait de reconnaître l'objet que Jolicoeur portait à bout de bras. Un traîneau, datant de 1955 environ.

— J'ai trouvé *Rosebud* !

Kate s'était approchée.

— Le traîneau…, dit-elle, médusée.

— Il y a des traces de sang dessus. Je vais le donner aux gars du labo.

Jolicoeur s'éloigna. Labonté fixait Kate.

— On va la retrouver.

Les mots de Labonté ne trouvèrent pas d'écho en elle, seule l'habitait la terrifiante certitude que Nunnelly était le meurtrier du marais, peut-être même l'Artiste, et que ce dernier avait entretenu un lien étroit avec sa fille.

Elle réprima un sanglot.

— On retourne au poste. Il va cracher le morceau, le salaud, ou il va goûter à sa propre médecine.

Elle avait un ton tellement résolu que, pendant un instant, Labonté crut qu'elle allait s'emparer d'un des contenants d'acide sur la table de travail de Nunnelly. Mais Kate quitta la cabane les mains vides.

# 54

Dès son arrivée au poste, Mark Nunnelly avait été dirigé vers la salle d'interrogatoire, où il poireautait depuis une heure. L'homme était assis bien droit sur sa chaise, seul son index gauche dessinait sans cesse sur la table.

— Il est mûr, dit Kate, qui l'observait de la salle derrière le miroir sans tain, où elle se trouvait avec son équipe.

L'équipe de Kate avait émis l'opinion qu'il serait peut-être préférable qu'elle ne participe pas à l'interrogatoire. Il avait donc été convenu que la tâche reviendrait à Labonté et Jolicoeur. Mais Kate les avait prévenus : si Nunnelly ne coopérait pas, Todd et elle prendraient la relève. « Et ce ne sera pas plaisant ! » avait-elle promis.

— Regarde bien, Max. Tu pourrais apprendre quelque chose…

Le sergent Jacques ne dit rien. Il savait qu'elle avait raison.

Labonté et Jolicoeur pénétrèrent dans la salle d'interrogatoire. Labonté prit place en face de l'homme, tandis que Jolicoeur prit position debout contre le mur, en biais, derrière Nunnelly.

Kate était tendue tel un chasseur à l'affût.

Labonté expliqua qu'il voulait enregistrer l'entrevue et demanda la permission du professeur. Nunnelly hésita, puis donna son consentement. Le sergent mit l'appareil en marche. Il donna l'heure, la date et nomma les personnes présentes dans la salle. L'interrogatoire commença.

Labonté passa en revue son témoignage sur le soir de la disparition d'Élisabeth. Comment l'avait-il trouvée ? À quelle heure avait-elle quitté le local ? Était-elle seule ? L'avait-il vue dans le stationnement ? Nunnelly fournit les mêmes réponses que précédemment. Jolicoeur entra alors en action.

— Reconnaissez-vous ceci ?

Le sergent avait mis sur la table le sac de plastique contenant le portrait qu'Élisabeth avait fait de lui.

Kate s'approcha un peu plus près de la vitre sans tain, comme si elle voulait lire sur le visage de Nunnelly.

— Oui, dit Nunnelly au bout d'un moment.

Il a eu le temps de se trouver une explication, songèrent les enquêteurs des deux côtés du miroir.

Labonté et Jolicoeur, maintenant appuyés à l'extrémité droite de la table, fixaient l'homme sans rien dire.

— C'est une des cartes de la Saint-Valentin que j'ai reçues de mes étudiantes.

Labonté et Jolicoeur se regardèrent, puis le fixèrent de nouveau sans rien dire, attendant la suite de l'explication.

— Ça arrive que les étudiantes m'en donnent. C'est plus une blague qu'autre chose. Je pense que ça les amuse de me voir rougir.

Labonté hocha la tête comme s'il comprenait.

— Vous n'avez pas gardé les autres ?

— Pardon ?

— Les autres cartes de vos étudiantes, vous ne les avez pas conservées ?

— Je ne comprends pas…

— C'est tout ce qu'on a trouvé dans votre atelier, dit Jolicoeur en tapant sur le sac contenant le portrait.

Il retourna le sac. On pouvait lire la signature d'Élisabeth derrière le portrait.

— C'est bien Élisabeth McDougall qui vous a donné ça ?

Nunnelly déglutit. Kate avait les deux yeux comme des fentes. Un félin prêt à achever sa proie.

— Euh… oui… On peut le voir, c'est écrit.

Kate franchit la porte en deux secondes. Todd partit à sa suite.

— À mon tour ! dit-elle en entrant dans la salle d'interrogatoire. Labonté et Jolicoeur, vous avez terminé.

Les deux sergents quittèrent la salle.

— Je ne comprends pas…, dit le sergent Jacques en les voyant arriver de son côté du miroir.

Labonté et Jolicoeur se regardèrent. Il était évident qu'ils désapprouvaient l'initiative de Kate, mais ils ne dirent rien. Ils s'inquiétaient plutôt pour elle.

Pendant ce temps, Kate avait enregistré le changement d'équipe et avait pris place devant Nunnelly.

— Vous avez l'habitude de vous faire offrir des valentins ? Ça vous plaît ? Ça vous excite ?

À la dernière question, Todd, qui était resté à l'écart, s'avança près de la table. À moitié pour faire la pression sur Nunnelly, et à moitié pour calmer Kate.

— Mais qu'est-ce que…

— Quand Élisabeth vous a-t-elle donné ce portrait ? le coupa Kate.

— Je ne sais pas… pendant le cours.

— Et les autres filles ?

— La même chose.

— Qu'avez-vous fait des autres valentins ?

— Je ne sais pas… Ils sont quelque part.

Kate s'impatientait. Todd intervint, changeant de sujet pour déséquilibrer Nunnelly.

— Vous utilisez de l'acide nitrique pour vos gravures, n'est-ce pas ?

La question eut l'effet escompté. Nunnelly figea.

— On dirait qu'il calcule les risques qu'il a à répondre, dit Jacques de l'autre côté.

Labonté et Jolicoeur acquiescèrent.

— Mark ? insistait Todd dans la salle d'interrogatoire.

— Oui, je la dilue pour faire de l'eau-forte.

— C'est fort, l'acide nitrique. J'aurais peur de travailler avec ça.

— On s'habitue…

Kate serra les mâchoires. Nunnelly semblait avoir repris confiance.

— C'est avec ça que je gruge le métal. Ça pourrait gruger à peu près n'importe quoi, en fait.

— N'importe quoi ?

— À peu près…

— Même de la peau ?

Nunnelly détacha le bracelet qu'il avait au poignet gauche.

— On n'est jamais trop prudent…

À l'endroit exact où aurait pu se trouver le cadran d'une montre, il y avait une cicatrice, ou plutôt une marbrure causée par l'acide.

Kate bondit.

— C'est Stein ! Il a effacé son tatouage avec de l'acide. C'est lui. Il a mon Élisabeth.

Avant que Todd ne puisse l'en empêcher, Kate s'était précipitée sur l'homme.

— Tu vas me dire où est Élisabeth ou tu ne sortiras pas d'ici vivant !

Ils se mirent à trois pour séparer Kate de Mark Nunnelly. Elle l'avait empoigné par le collet et le secouait avec une telle force qu'il était complètement terrassé. Si les sergents n'étaient intervenus, qui sait quel sort elle lui aurait réservé ? Dès qu'ils l'eurent arrachée de l'homme, Todd agrippa Kate fermement par le coude, puis la fit passer dans l'antichambre. Lorsqu'elle s'approcha du sergent Jacques, il fit un pas en arrière. Il n'oublierait pas de sitôt la démonstration de force de sa supérieure.

# 55

— J'ai perdu le contrôle…

Kate, assise en boule dans le salon, enlaçait ses genoux qu'elle avait repliés contre son corps. Sylvio avait pris place sur la petite table à café devant elle. Il ne faisait que l'écouter.

— J'ai vu la cicatrice sur son poignet et…

Elle tremblait de la tête aux pieds.

— Tu ne peux pas savoir… Une image m'est apparue. Élisabeth attachée sur une table de métal, subissant le même sort que Trudel… J'ai bondi sur lui. Je voulais le tuer, Sylvio…

Kate était maintenant secouée de sanglots.

— *Carissima*…

Sylvio s'assit à côté d'elle et l'enlaça. Il aurait voulu murmurer des paroles réconfortantes, mais il était lui-même à bout d'optimisme. Cela faisait maintenant neuf jours qu'Élisabeth avait disparu, et l'Escouade ne faisait que se perdre en conjectures. Nunnelly détenait peut-être Élisabeth, Nunnelly pouvait ou non être Stein, Élisabeth pourrait n'avoir fait qu'une fugue. Une seule certitude, Élisabeth était introuvable, et personne ne semblait l'avoir vue après le dernier cours de dessin.

— Crois-tu vraiment que ce Nunnelly est l'Artiste ?

Kate soupira lourdement.

— Je ne le sais plus. Peut-être que la panique me fait faire des liens que je ne devrais pas faire. Un lien entre la momie et Stein, entre Stein et Nunnelly, entre Nunnelly et la momie…

Kate s'arracha des bras de Sylvio et se leva.

— Si on pouvait mettre la main sur une seule preuve concrète !

Elle piétinait sur place.

— Je suis tellement enragée… Je m'en veux tellement…

— Mais pourquoi ?

— C'était mon travail de la protéger !

— Kate, Kate, Kate…

Sylvio s'était levé et lui agrippait maintenant les avant-bras.

— Arrête ça tout de suite. Oui, c'est notre travail de protéger nos enfants, mais on ne peut être là chaque nanoseconde de leur vie.

— Mais qu'est-ce qui va arriver si on ne la retrouve jamais ? As-tu pensé à ça ?

Sylvio planta ses yeux dans les siens.

— J'essaie de ne pas penser à ça. Ça ne sert à rien. Ça ne mène qu'au désespoir.

Il l'attira contre lui.

— On va faire face aux choses, une à la fois. Tu dis qu'ils font des analyses sur un traîneau trouvé chez Nunnelly ?

Kate acquiesça.

— Parfait. Il y a peut-être une piste là. Mais pour l'instant, ce soir, on n'a qu'une seule chose à faire…

Kate l'interrogea du regard.

— Laisser Marco, Victoria et Isabella entrer dans la maison.

Kate se tourna vers la porte. Ils étaient là tous les trois, agglutinés devant la porte, à attendre qu'ils aient terminé. Kate fondit de nouveau en larmes. Sylvio leur fit signe.

## MANIFESTE DE L'ANDEV

(Extrait IX)

[...]

*L'ANDEV entend donc défendre à la vie à la mort les principes qui suivent :*

*La race blanche est supérieure aux autres races.*

*La suprématie de la race blanche dépend de sa pureté.*

*La race blanche doit défendre son espace vital si elle veut conserver sa pureté et par le fait même sa suprématie.*

[...]

# 56

Greta Stein ferma le cahier posé sur la table et le repoussa aussi loin qu'elle le put. Depuis qu'elle l'avait commandée, elle cherchait une raison de mettre un terme à l'opération Jonestown. Tout ce qu'elle était cependant parvenue à faire était se convaincre qu'il n'y avait pas d'autre solution. Elle se massa la nuque puis quitta son fauteuil. Greta était fatiguée. Depuis le départ « impromptu » de l'aide philippine, elle devait s'occuper des tâches de la maison, en plus du reste... Elle regarda l'heure. Ils allaient arriver dans deux heures. Elle avait le temps de commencer à trier les choses qu'elle emporterait avec elle.

Greta s'arrêta dans les marches qui la menaient au premier, où se trouvaient les chambres. Le mur qui longeait l'escalier était couvert de photos de sa famille. Sa mère, Ingrid, avec son père, Gustav, ses parents avec Simon et elle enfants, Simon à l'hôpital... En cet instant, elle aurait voulu retourner dix ans en arrière, avant le jour des obsèques de Pierce, le fondateur de l'Alliance nationale.

Quand son père était revenu de Virginie, ce jour-là, avec son frère, il n'était plus le même. Il avait vieilli de dix ans. Son humeur habituellement égale avait changé du tout au tout. Il était devenu colérique. Il y avait une impatience qui grandissait en lui de jour en jour. Impatience de vivre ce qu'il lui restait à vivre, croyait Greta. Elle n'avait pas tort, d'une certaine façon. Gustav Stein voulait voir l'ANDEV triompher avant sa mort.

Cette frénésie du père convenait parfaitement au fils. Leurs liens s'en étaient resserrés et, peu à peu, Gustav avait cédé la tête de l'organisation à Simon. Son fils accomplirait ce que ni l'Allemagne nazie, ni l'Alliance nationale, ni aucune autre organisation suprématiste n'était parvenue à faire : assurer la domination de la race blanche. La foi que Gustav avait eu en Simon avait été inébranlable. Elle l'avait conduit à sa propre mort. Greta grimaça à cette pensée. Elle s'ennuyait de son père. Elle aimait cet homme comme elle savait qu'elle n'aimerait jamais aucun homme. Il avait donné un sens à sa vie.

Rendue dans sa chambre, Greta en évalua rapidement le contenu avant de décider ce qu'elle laisserait. Car, une fois partie, elle n'y aurait plus accès. Jamais.

Pour les vêtements, c'était facile. Elle ne prendrait que ceux de la saison de l'endroit là où elle se rendait. Le plus difficile était de laisser les souvenirs. Elle n'avait droit qu'à deux valises. Une pour les vêtements, une pour les souvenirs. Il fallait qu'elle puisse partir rapidement, une fois l'opération Jonestown terminée.

Elle choisit d'abord des photos de sa mère et son père, qu'elle conservait dans sa chambre. Elle en prit deux. Puis, elle prit un cliché de son frère, qu'elle déposa, les mains tremblantes, dans le fond de sa valise. Elle détourna le regard. Elle songea qu'il fallait qu'elle s'active, sinon…

Elle continua de trier et de ranger pendant encore une demi-heure, puis se rendit à la cuisine préparer le dîner des convives. Elle avait choisi cette journée pour les réunir parce qu'elle savait que Simon n'y serait pas. Il l'avait averti qu'il serait absent. Elle lui avait demandé où il allait. Il s'était contenté de lui dire qu'il travaillait sur un nouveau projet. Sa réponse avait conforté Greta dans sa décision…

La veille, une fois Simon retiré dans sa chambre, elle avait préparé des strudels aux pommes pour le lendemain. Il ne lui restait que l'entrée et le plat principal. Elle avait choisi de faire des *Wiener Schnitzel*, des escalopes de veau panées, servies avec des rondelles de citron et des légumes. En entrée, elle leur servirait du chou à la moutarde. Elle avait bien sûr prévu un Sylvaner, sec et léger, pour accompagner le tout. Quand le repas fut en marche, elle dressa la table. La sonnette d'entrée se fit entendre au moment où elle terminait.

Karl Linden arriva le premier.

Il fut bientôt suivi des autres membres du conseil.

# 57

Le sergent Todd Dawson avait toujours été un ange gardien pour Kate. Témoin de plusieurs de ses incartades, il l'avait plus d'une fois empêchée de courir à sa perte. Ses démons, il les connaissait. Cependant, ce qu'il avait vu d'elle dans la salle d'interrogatoire la veille le troublait. Il comprenait que c'était la mère éplorée qui avait réagi, mais la violence avec laquelle elle l'avait fait l'inquiétait.

La nature de sa relation passée avec Paul Trudel n'étant plus un secret pour personne, Todd avait eu l'idée de faire part, officieusement, de ses appréhensions à son supérieur. Trudel n'avait pas réintégré officiellement ses fonctions, mais il était le seul à qui il pouvait demander conseil. Il lui avait donc téléphoné.

Terrassé par ses maux de tête, l'inspecteur n'avait pas assisté la veille à l'interrogatoire de Nunnelly. Il écouta donc attentivement le récit que Todd lui fit des événements.

— Elle a fait ça ? dit-il, une note d'admiration dans la voix.

Todd jura intérieurement.

— Ça ne vous inquiète pas ?

— Bien sûr que ça m'inquiète. Mais je peux quand même me permettre d'admirer le courage de Kate.

Il y eut un silence au bout du fil, puis Trudel dit :

— Elle a convoqué une réunion d'équipe pour ce matin ?

— Oui…

— Très bien. J'arrive.

Todd avait raccroché satisfait. Trudel saurait contrôler Kate.

Naïveté.

Quand Kate le vit pénétrer dans la salle de réunion en compagnie de Trudel, elle explosa.

— Paul ? Mais qu'est-ce que tu fais ici ? Tu es censé rester couché.

Kate regarda autour d'elle. Elle se doutait qu'un de ses hommes l'avait fait venir.

— Dawson !

Todd, en bon rouquin, rougit jusqu'aux oreilles.

— *Shit ! You think I need a babysitter now ?*

Trudel intervint avec autorité

— Tu n'as pas besoin de gardien, Kate, mais tu as besoin de te contrôler. Tu n'aides personne, encore moins ta fille, quand tu perds les pédales.

Kate était saisie. Trudel radoucit le ton.

— Crois-tu pouvoir tenir le coup ou est-ce trop ? Dans ce cas, il faudra te retirer de l'enquête.

Kate avait l'air d'un enfant pris la main dans la jarre à biscuits.

— Je ne sais pas…, fut tout ce qu'elle parvint à dire.

Il y eut un flottement dans la salle. Labonté et Jolicoeur ne savaient plus où regarder. Todd se sentait coupable et le sergent Jacques se disait qu'il avait intégré cette équipe dans un bien drôle de moment.

Trudel se massa les tempes. Il avait l'impression que sa tête allait exploser.

— Je ne sais pas, Paul... parce que je n'ai jamais perdu d'enfant auparavant. Est-ce que je suis censée savoir comment me comporter? Y a-t-il un code? Oui, j'ai perdu les pédales... mais auriez-vous fait mieux à ma place?

Labonté n'allait sûrement pas la contredire. Il savait, lui. Depuis l'annonce de la disparition d'Élisabeth, il ne cessait de penser à sa fille décédée.

— Je ne peux rester à la maison, dit Kate. Je vais devenir folle.

Trudel la fixait. Il n'avait qu'une envie, la prendre dans ses bras.

— Bon, d'accord. Il faut promettre cependant de ne pas participer aux interrogatoires.

Kate hocha la tête. Trudel allait continuer quand le cellulaire de Jolicoeur se mit à sonner.

— Jolicoeur...

Le sergent écarquilla soudain les yeux.

— Quoi?

Il écouta attentivement son interlocuteur, tout en prenant des notes dans son carnet. Dans la salle, ils avaient tous les yeux rivés sur lui.

— Très bien. Merci.

Il ferma le rabat de son téléphone.

— Vous ne devinerez pas...

— Accouche! aboya Kate.

On pouvait encore lire l'étonnement sur le visage de Jolicoeur.

— C'était le labo. Les taches de sang sur le traîneau appartiennent bien à l'homme d'affaires Boucher. Mais ce n'est pas tout. Il y en a qui appartiennent à...

— Mark Nunnelly, dit Kate.

— Non.

— Non ?

— Non. À son père, Peter Nunnelly.

La surprise était générale.

— Le père de Nunnelly aurait tué Boucher ? dit Labonté, incrédule.

— On dirait bien, dit platement Jolicoeur.

# 58

Nunnelly, qu'ils avaient relâché la veille faute de preuves, était de nouveau assis dans la salle d'interrogatoire. Kate l'observait derrière le miroir sans tain, en compagnie de Todd et Max. Labonté et Jolicoeur allaient l'interroger, sans interruption de Kate cette fois.

— On a reçu les rapports du laboratoire. Les taches de sang trouvées sur le traîneau appartenaient à l'homme trouvé mort sur votre terre…

— Un instant ! Je…

— … et à votre père.

— … n'ai pas tué… Quoi ?

Labonté répéta.

— Mon père ?

Nunnelly était sous le choc.

— Votre père avait-il une raison de tuer Gabriel Boucher ?

Mark Nunnelly nageait en pleine confusion.

— On a pensé qu'il pouvait s'agir d'une histoire de vente de terrain qui aurait mal tourné, puisque Boucher est un homme d'affaires qui fait, entre autres choses, de la spéculation foncière. Mais le terrain vous appartient, alors ça ne peut pas être ça.

Nunnelly avait froncé les sourcils.

— À quand remonte la mort de Boucher ? demanda-t-il.

— À l'automne dernier… autour du mois d'octobre. Fin septembre, peut-être…

— Donc avant la mort de papa.

— Et ? dit Labonté, qui commençait à s'impatienter.

— Eh bien… le terrain appartenait encore à mon père à ce moment-là. J'ai hérité de la terre à sa mort.

De l'autre côté du miroir, Kate se mordit les joues. Une autre chose qui leur avait échappé.

Labonté et Jolicoeur échangèrent un regard.

— Votre père a-t-il déjà laissé entendre qu'il voulait vendre sa terre ?

— Mon père y tenait comme à la prunelle de ses yeux. Il n'aurait jamais accepté de la vendre à qui que ce soit.

Labonté céda à son impatience.

— Il devait bien avoir un mobile pour tuer cet homme, bon sang !

Nunnelly eut soudain l'air triste.

— Je comprends, murmura-t-il, les yeux pleins d'eau.

— Qu'est-ce que vous comprenez ?

— Son suicide… Pour moi, c'était incompréhensible. Mon père était la dernière personne que j'aurais pu imaginer se suicider. Il était trop… naturel.

— Naturel ?

Nunnelly cherchait à mettre des mots sur une pensée encore informe.

— Mon père était comme… un arbre. Ce n'était pas l'homme le plus à l'aise en société, mais dans la nature… C'était comme s'il en faisait partie. C'était un arbre parmi les autres. Cela lui conférait une force vitale incomparable. Sa culpabilité l'aura donc tué.

Cet interrogatoire ne prenait pas du tout la direction escomptée.

— Qu'est-ce qui aurait pu pousser votre père à tuer un homme ? insista Jolicoeur.

Nunnelly secoua la tête.

— Je ne sais pas. Mon père était un homme doux. Il aimait sa terre comme on aime un enfant. Il en prenait soin. Il avait le plus grand respect pour la nature. C'était un écologiste avant le terme. Il…

Nunnelly s'arrêta.

— Est-ce que la victime avait un lien avec l'exploitation gazière ?

Dans la salle d'interrogatoire, ils entendirent le déclic de l'interphone, puis la voix de Kate.

— Parmi les compagnies de Boucher qu'on a dénombrées, je me souviens qu'il y en avait une qui s'appelait Énergic. C'est peut-être la compagnie qui a les droits du sous-sol à Austin.

Nunnelly semblait réfléchir.

— Mon père aurait tué pour défendre sa terre. Il aurait défendu le viol de sa terre, comme on défend son enfant d'un agresseur.

Cette remarque provoqua Kate.

— Pourquoi Élisabeth vous a-t-elle donné une carte de Saint-Valentin ? demanda-t-elle dans l'interphone.

Nunnelly regarda nerveusement autour de lui. Puis, Kate le vit céder physiquement. Ses épaules s'affaissèrent et il baissa la tête.

— Elle est venue me voir à la fin du cours avec la carte. Quand j'ai vu de quoi il s'agissait, j'ai eu peur. J'ai refusé de la prendre et je lui ai demandé de me rencontrer dans le stationnement après le cours.

— Vous avez eu peur de quoi ? demanda Jolicoeur.

Nunnelly le regarda, étonné.

— D'où sortez-vous ? Accepter une déclaration comme celle-là aujourd'hui, c'est ouvrir la porte à une kyrielle de poursuites. Il n'était pas question que j'accepte ce cadeau. Encore moins devant témoins.

— Pourquoi lui avoir demandé de vous rencontrer dans le stationnement ?

Nunnelly soupira.

— J'avais de l'affection pour la petite... à cause de sa différence. Je voulais lui expliquer pourquoi ce n'était pas bien pour moi d'accepter.

De nouveau la voix de Kate dans l'interphone.

— Que s'est-il passé dans le stationnement ?

Nunnelly prit un temps.

— J'ai attendu que tous les étudiants aient quitté les lieux. Je ne voulais pas de problèmes. Quand je suis sorti, elle m'attendait, cachée derrière des arbustes...

Kate imaginait la petite, dans la noirceur, sa carte de la Saint-Valentin à la main. Elle eut le cœur brisé.

— Elle m'a tendu la carte encore une fois. Je lui ai dit que je ne pouvais pas l'accepter, que ce ne serait pas bien. Elle m'a demandé pourquoi. Je lui ai répondu qu'il fallait qu'elle attende de rencontrer l'homme qu'elle aimerait, que moi je n'étais que son professeur. Je lui ai dit qu'elle avait sûrement de l'admiration pour moi, mais que les souhaits de la Saint-Valentin, c'était réservé à l'amour. J'ai ajouté qu'elle ne comprenait peut-être pas maintenant, mais qu'elle comprendrait un jour...

Il s'arrêta.

— Et puis ? dit Labonté.

— Elle est devenue furieuse. Elle m'a jeté la carte au visage en criant que nous étions tous pareils. Que sa vie n'était qu'une longue promesse d'amour jamais réalisée... Puis elle est partie.

Personne ne dit un mot.

— Je vous le jure. Je ne l'ai pas revue depuis.

— Pourquoi ne pas nous avoir raconté tout ça lors de votre premier interrogatoire ? demanda Kate dans l'interphone.

Nunnelly regardait le plancher.

— J'ai eu peur. Une police, sa fille qui disparaît après m'avoir donné une carte de Saint-Valentin…

Il leva les yeux vers le miroir.

— Avec tout ce qu'on entend sur la police… j'ai eu peur.

# 59

Ils étaient maintenant tous convaincus que le père de Mark Nunnelly avait tué Gabriel Boucher. Probablement une dispute qui s'était mal terminée. Peter Nunnelly avait paniqué en voyant que l'homme d'affaires était mort, et il avait cherché à camoufler son crime. Il avait défiguré Boucher à l'aide de l'acide pris dans l'atelier de son fils et avait enterré le corps dans le marais. Mark Nunnelly leur avait d'ailleurs raconté que son père lui avait dit à l'époque avoir renversé par mégarde un de ses contenants. Il n'y avait pas prêté attention à ce moment, mais tout s'expliquait maintenant. Même le suicide de son père.

L'équipe aurait dû se réjouir. Elle avait résolu l'affaire du marais. Mais le gros nuage noir de la disparition d'Élisabeth planait sur la salle, où ils s'étaient réunis après avoir relâché Nunnelly. Kate n'était plus que l'ombre d'elle-même. Elle se repassait la même question en boucle. Avait-elle négligé de suivre les voies habituelles en cas de disparition parce qu'elle croyait mordicus que Stein détenait Élisabeth ? Non. Un avis de recherche avait été lancé, des photos distribuées, on avait interrogé des témoins potentiels, alerté les médias, cherché quelqu'un qui l'aurait vue sur la route…

Trudel, à part annoncer plus tôt qu'ils devaient relâcher Mark Nunnelly, n'avait pas dit un mot depuis l'interrogatoire de ce dernier. Sa tête le faisait souffrir et la nausée qui allait et venait ne l'encourageait pas à ouvrir la bouche.

À part Labonté et Jolicoeur, mandatés pour vérifier si la compagnie Énergic détenait bien les droits d'exploitation de la terre de Nunnelly, Todd et Jacques étaient les seuls dans la salle à s'activer. Ils s'étaient séparé le dossier de l'Artiste et épluchaient leur moitié chacun dans son coin.

Au bout d'un moment, Jacques mit de côté la chemise contenant sa partie du travail. Quelque chose que Nunnelly avait dit le titillait, mais il n'arrivait pas à savoir quoi. Il passa donc en revue tous les moments de l'interrogatoire dans sa tête. Au bout d'un certain temps, il fronça les sourcils et dit :

— Qu'est-ce que vous croyez qu'Élisabeth voulait dire quand elle a dit à Nunnelly qu'ils étaient « tous pareils » ? Que « sa vie n'était qu'une longue promesse d'amour jamais réalisée… » ?

Kate, Paul et Todd le regardèrent.

— Euh… Ça me fatigue depuis tantôt.

Kate réfléchissait. Les mots d'Élisabeth lui rappelaient une conversation qu'elles avaient eue, où Élisabeth l'avait accusée d'avoir tout gâché. Elle tenta de se souvenir de leurs échanges des dernières semaines. Elle se rappela soudain combien Élisabeth avait été agressive à la suite de la visite de Paul.

Kate figea. Les mots exacts de leur conversation du lendemain lui revinrent en mémoire.

« Paul voulait te remettre les dessins que tu as laissés dans sa chambre…

— Il est venu jusqu'ici juste pour ça ?

— Je pense qu'il s'ennuyait…

— C'est comme ça qu'on appelle ça maintenant… de l'ennui ?

— Pardon ?

— Laisse faire… »

Kate en était maintenant convaincue. Sa fille les avait surpris enlacés dans l'entrée, et elle avait senti le malaise de Kate. Elle avait cru qu'il se passait quelque chose entre Paul et elle.

— Oh, mon Dieu, gémit Kate.

— Quoi ?

Paul fut auprès d'elle en moins de deux.

— Elle pense qu'il se passe quelque chose entre nous. Elle nous a vus dans l'entrée le soir où tu es venu m'annoncer que tu avais retrouvé la mémoire. Elle croit que je veux briser notre famille, que j'ai trahi ma promesse d'amour. C'est pour ça qu'elle a fugué.

Kate était inconsolable. Paul voulut la prendre dans ses bras, mais elle le repoussa brusquement.

— Tu en as déjà assez fait, dit-elle avant de sortir à toute vitesse de la salle.

Trudel savait qu'elle avait parlé sous le coup de l'émotion, mais le coup l'atteignit quand même au plexus.

# MANIFESTE DE L'ANDEV

(Extrait X)

[...]

*Les principes énoncés précédemment font partie intégrante de l'acte de fondation de l'ANDEV, réunie en assemblée constitutive le 12 juillet 1976.*

*L'ANDEV n'entend jamais renoncer aux principes de son fondateur, Gustav Stein.*

*La pérennité de la supériorité de la race blanche demeure le but ultime de l'organisation.*

*Quiconque veut adhérer à l'ANDEV doit souscrire aux principes énoncés précédemment et participer à la réalisation des objectifs de l'organisation.*

[...]

# 60

Élisabeth regrettait sa décision.

Sur le coup, cela avait semblé une bonne leçon à donner à Kate, disparaître sans laisser de trace, mais cela faisait onze jours maintenant, et elle n'était plus sûre du tout. Le problème est qu'elle ne savait plus comment revenir. Elle n'était pas prête à avouer qu'elle s'était comportée comme une idiote.

Elle avait beau avoir l'âge de raison, être à deux doigts de sa majorité, son obstination était enfantine. Elle savait qu'elle aurait dû parler de ce qu'elle avait vu à Kate, qu'elle lui devait au moins ça pour tout ce qu'elle avait fait pour elle… mais elle ne l'avait pas fait. Et quand Manu l'avait repoussée… cela avait été plus fort qu'elle. Une pulsion incontrôlable. Elle avait tout rejeté en bloc. Kate, Sylvio, sa vie de famille… Encore maintenant, assise sur ce lit, dans cette chambre qui l'oppressait, elle s'obstinait à ne pas retourner chez elle. En fait, elle avait terriblement honte. Et peur. Kate ne lui pardonnerait peut-être jamais son incartade. Elle avait peut-être même cessé de l'aimer…

Élisabeth voulut chasser ses pensées et leva son regard en direction de la tête de chevreuil sur le mur, qui la fixait aveuglément. Elle n'avait jamais été une amatrice de taxidermie. Elle ne voyait pas la beauté d'un animal mort, empaillé à la seule gloire de celui qui l'avait tué. De plus, cela l'effrayait, comme les terreurs nocturnes de son enfance.

Elle sentit le mal de tête qui naissait au fond de ses orbites. La veille, elle s'était endormie épuisée. Avec les autres jeunes du centre, elle avait passé la journée à tout nettoyer. Elle n'avait jamais travaillé aussi fort de sa vie. Cela en soi aurait dû l'inciter à rentrer chez elle…

Elle s'aspergea le visage d'eau froide. Sa nuit avait été hantée par le spectre de Kate. Elle ne se souvenait pas d'avoir aussi mal dormi, son épisode de schizophrénie mis à part. Sa gorge se serra, les larmes lui montèrent aux yeux. « Tu as mal dormi, c'est tout », se dit-elle pour s'encourager.

Élisabeth s'avança à la fenêtre. Elle ne voyait que la forêt. Pas de point de repère pour lui indiquer où elle se trouvait. Elle s'efforça de se rappeler le trajet qu'ils avaient emprunté pour arriver là.

Elle errait sans but depuis quatre jours, autour de Sherbrooke, quand un homme l'avait approchée pour lui offrir un abri. Elle avait d'abord refusé de lui répondre, croyant qu'il s'agissait d'un racoleur. Elle avait vu suffisamment de films avec des fugueuses qui aboutissaient dans le monde de la prostitution. Mais l'homme lui avait expliqué qu'il travaillait pour l'organisme Jeunes dans la rue et qu'il procurait un abri aux jeunes en difficulté. Élisabeth, qui après quatre jours n'avait plus aucune ressource à sa disposition, avait été tentée par son offre, mais elle l'avait déclinée, évoquant son désir de rester dans l'anonymat. L'homme avait souri. Il lui avait dit qu'elle n'était pas obligée de donner son nom, que cet organisme n'était pas là pour trahir la confiance des jeunes, mais bien pour leur donner un endroit où réfléchir, voire retrouver leur confiance en la société.

Élisabeth avait cru à son discours, dur comme fer.

Il faisait noir quand elle était montée dans la voiture de l'homme. Connaissant les ressources à la disposition de Kate pour la retrouver, Élisabeth avait évité de se montrer au grand jour depuis son départ, dormant durant la journée dans des abris de fortune, à l'écart de la population, circulant le soir et la nuit pour ne pas être repérée. Le trajet pour se rendre où elle se trouvait présentement lui avait semblé interminable. Elle avait peu de souvenirs de ce qu'elle avait vu. Des poteaux électriques, des arbres, encore des arbres… Elle avait fini par s'endormir.

Élisabeth se prit la tête à deux mains. Son mal de tête s'amplifiait. Elle savait ce que ça voulait dire. Son niveau de stress était trop élevé. Il lui faudrait un moyen de le réduire. Le stress menait à l'anxiété, l'anxiété à l'angoisse, et… elle préférait ne pas s'aventurer dans cette avenue. Le risque de rechute était trop élevé. Elle décida de se faire couler un bain. D'une manière ou d'une autre, elle devait faire sa toilette avant de commencer sa journée.

L'eau chaude la relaxa, mais avec la détente vinrent les larmes. Elle s'ennuyait des bras rassurants de Kate, des paroles sécurisantes de Sylvio, de son chat Merlin… Comment avait-elle pu songer abandonner son chat ? Cette pensée ouvrit encore davantage les vannes.

Élisabeth avait dû pleurer pendant plus d'une demiheure, car elle se rendit soudain compte que l'eau du bain était froide. Frissonnant de la tête aux pieds, elle sortit de la baignoire et s'essuya vigoureusement. Rafraîchie, coiffée et habillée, elle fit son lit, puis s'assit sur le bord. Elle voulait réfléchir à sa situation à tête reposée.

Si Kate l'avait vue là, assise sagement, si frêle et vulnérable, sans défense… elle aurait pleuré toutes les larmes de son corps.

Au bout d'un moment, comme un ciel qui soudain s'éclaircit, Élisabeth retrouva ses sens. Elle allait rentrer à la maison. C'est à ce moment que la poignée de la porte de sa chambre grinça.

Quelqu'un, de l'extérieur, tentait de l'ouvrir.

# 61

La veille, Paul Trudel avait quitté le poste en proie au plus violent mal de tête de sa vie. Même ses migraines d'autrefois n'auraient pu rivaliser avec la douleur qui l'accablait. Le médecin de garde lui avait administré toute la panoplie de drogues à sa disposition pour le soulager, mais rien à faire.

Étendu sur son lit, une serviette d'eau froide sur les yeux, les rideaux fermés pour laisser entrer le moins de lumière possible, Trudel essayait de vider complètement son cerveau de toute pensée. Mais ses efforts pour être zen ne faisaient qu'amplifier la douleur et, de toute façon, il n'y parvenait pas. Une image revenait sans cesse à son esprit. Celle d'une photo accrochée au mur de la salle de réunion du poste de Brome-Perkins. Le cliché de la toile de Stein le représentant mort. Il se surprit à penser que plus il combattait cette image, plus ses maux de tête augmentaient… et c'est alors que son cerveau lui révéla ce dont il aurait préféré ne jamais se souvenir.

Trudel cria.

Sa douleur, son désespoir, la folie de Stein, tout lui revenait. Les sensations empalaient son corps. Les images martelaient son cerveau en rafales. Son corps nu sur la table d'acier, les lames qui tranchaient sa peau, le gourdin qui brisait ses membres, les slogans haineux scandés à l'unisson, la lumière qui l'aveuglait... Alertés par ses cris, des infirmiers firent irruption dans sa chambre et lui administrèrent un puissant sédatif. Trudel se calma peu à peu, puis sombra dans un sommeil sans rêve.

Marquise Létourneau était à son chevet lorsqu'il revint à lui vers midi. Le médecin de garde l'avait mandée, conscient que Trudel venait de franchir une barrière cruciale, et qu'il aurait besoin du soutien de la psychiatre.

— Inspecteur Trudel... Savez-vous qui je suis?

Il ouvrit lentement les yeux, encore hébété par la drogue puissante qu'on lui avait administrée. Il hocha la tête pour indiquer qu'il la reconnaissait. Il avait la bouche sèche.

— Au fur et à mesure que votre esprit embrouillé va s'éclaircir, vos souvenirs vont remonter à la surface...

Elle n'avait pas terminé sa phrase que les pupilles de Trudel se dilatèrent. Sa respiration se fit difficile, et son pouls s'accéléra. Il se rappelait. Il agrippa son bras. Marquise Létourneau posa sa main sur la sienne et continua de s'adresser à lui sur le ton monocorde qu'elle utilisait depuis son arrivée.

— Ce ne sont que des souvenirs. Ils appartiennent au passé. Vous êtes en sécurité ici. Je suis là...

Elle répéta les mots rassurants, encore et encore, puis Trudel se calma peu à peu. Il lâcha son bras. Quand il finit par respirer normalement, le docteur dit:

— Je peux vous prescrire des médicaments qui vont vous aider à surmonter le choc...

Trudel expira lourdement. Son corps était parcouru d'un léger tremblement.

— J'aurais préféré ne jamais savoir, finit-il par dire.

Marquise Létourneau n'en doutait pas une seule seconde. Cela faisait plus d'un an que son cerveau gardait enfoui le souvenir de son enlèvement, et ça n'avait pas été sans livrer un rude combat qu'il avait finalement révélé son secret.

— Quand vous vous en sentirez la force, on pourra commencer à en parler, si vous le voulez. Mais le plus vite sera le mieux.

Elle craignait qu'il ne trouve un endroit confortable où ranger ses souvenirs, avant de les avoir digérés.

— Compris...

Marquise Létourneau se leva.

— Je vais rédiger votre prescription.

Elle lui sourit et quitta sa chambre.

Paul Trudel se roula en boule sur le côté, face à la fenêtre, dont les rideaux avaient été ouverts pendant qu'il dormait. De toute sa vie, il ne s'était jamais senti aussi vulnérable. Je me sens violé, songea-t-il, et il fut surpris de se rendre compte qu'il sanglotait. Il pleura un bon moment, librement. Il pleura le stress des derniers mois, de sa captivité, de son invulnérabilité perdue.

Dehors, le ciel jusqu'alors nuageux se dégagea, et le soleil éclatant de ce premier jour de mars apparut soudain. Un rayon transperça la fenêtre de sa chambre. L'espace d'un instant, il fut aveuglé... puis la dernière pièce du casse-tête se mit en place.

# 62

Sylvio était retourné à Montréal avec les enfants. Les filles ne pouvaient pas manquer leurs cours plus longtemps, et Marco, s'il ne voulait pas perdre son emploi, devait le réintégrer. La vie continuait, même si Élisabeth manquait encore à l'appel.

Ce n'était pas de gaieté de cœur que la *famiglia* Branchini avait quitté le chalet. Même si Kate avait tenté de les rassurer sur son état, personne ne l'avait crue. Les enfants étaient particulièrement inquiets. Ils avaient donc réuni un conseil de famille et décidé que Marco coucherait à la maison familiale pour quelque temps. Les filles auraient quelqu'un pour s'occuper d'elles et Sylvio pourrait alors revenir à Perkins pour prendre soin de Kate. Cette décision prise, ils avaient quitté le chalet le cœur un peu plus léger. «Je serai de retour demain midi au plus tard», avait promis Sylvio en ouvrant la porte de son véhicule. Comme la voiture s'éloignait, Kate leur avait envoyé la main du balcon, puis elle était rentrée dans le chalet. Vide.

Elle avait tourné en rond un moment avant de se décider à faire du feu dans la cheminée. La journée était belle et la température clémente, mais elle ne parvenait pas à se réchauffer. Machinalement, elle mit le bois dans le poêle, puis craqua une allumette. Elle lâcha un petit cri lorsqu'elle se brûla le doigt. L'allumette s'était consumée sans qu'elle ait mis le feu au bois. Elle s'était arrêtée à mi-chemin, perdue dans sa douleur. Elle inspira, prit une autre allumette et cette fois fit flamber le papier journal inséré sous le bois. Le feu en marche, elle se remit à tourner en rond.

Elle aurait voulu fuir son corps. Elle n'avait jamais ressenti une telle douleur, même à la mort de sa mère et de son frère. Elle avait une porte de sortie alors. Elle pouvait décider de mettre fin à tout. La mort était une possibilité. Mais cette fois, ce n'était pas une option. Car il y avait la possibilité qu'Élisabeth soit en vie quelque part. Et qu'elle ait besoin d'elle...

Kate se retrouva la main sur la poignée du réfrigérateur.

Boire.

Anesthésier la douleur, la rendre moins aiguë.

Kate lâcha la poignée et décida de ranger la vaisselle du déjeuner, que les enfants Branchini avaient laissée à sécher sur le comptoir. Elle devait résister à l'envie de prendre sa voiture et de se rendre au Thirsty Cowboy. Ce serait si facile...

Kate trembla si violemment qu'elle laissa tomber une assiette, qui se cassa en miettes.

— *Shit!*

Contrariée, elle fracassa le reste des assiettes.

Se convainquant qu'une promenade dans le froid réglerait son problème, elle revêtit son manteau et ses bottes... et prit les clés de sa voiture.

Même si le soleil était bon, la température était quand même hivernale. Le temps qu'elle mette les pieds au bas des marches, le froid l'avait ralentie dans son élan. Suffisamment longtemps pour qu'elle remarque les clés de voiture qu'elle tenait à la main.

Les sanglots montèrent comme un geyser. Kate tomba à genoux dans la neige et pleura longtemps. Tout de son passé l'empêchait d'envisager un dénouement heureux à cette histoire. Elle ne parvenait plus à respirer…

Elle se releva en titubant et parvint jusqu'à sa voiture.

Juste un verre, se promit-elle en mettant la clé dans le démarreur. Juste un, pour ne plus ressentir.

# 63

La vie, parfois, nous réserve des surprises.

Kate n'avait pas fait cent mètres que son cellulaire carillonna. Elle joua un moment avec l'idée de ne pas répondre, mais la pensée que ce pourrait être Élisabeth au bout du fil l'en empêcha.

— McDougall…

C'était Todd. Il lui dit qu'il avait besoin d'elle au poste. Kate, qui n'avait pas abandonné l'idée de s'arrêter au Thirsty Cowboy, répondit :

— Je devrais être là dans une quinzaine de minutes. *I have to make a pit stop…*

N'importe qui d'autre aurait pensé qu'elle avait besoin de faire le plein d'essence, mais Todd eut un doute. Trop de fois auparavant, il avait entendu son ancienne coéquipière utiliser cette expression pour s'arrêter prendre une bière.

— *Are you alright ?* demanda-t-il aussitôt.

La question prit Kate par surprise. Elle sut qu'il savait.

— Kate, on a une bonne nouvelle…

Elle ne disait toujours rien.

— On sait sous quelle identité se cache Simon Stein.

— *What ?*

— On attend tes ordres au poste.

Et il raccrocha. Kate avait l'impression d'être scindée en deux. Divisée entre son angoisse liée à la disparition de sa fille et sa joie de pouvoir enfin mettre la main sur l'Artiste. C'est ça être schizophrène, songea-t-elle, en faisant demi-tour en direction du poste.

Dès que la pièce du puzzle s'était mise en place, Paul Trudel avait quitté le centre de réadaptation à toute vitesse, malgré les protestations des infirmières de garde. Il avait téléphoné pour qu'un agent vienne le prendre et, moins de vingt minutes plus tard, il était au poste, entouré de Todd, Jacques, Jolicoeur et Labonté, et leur dévoilait l'information qu'ils attendaient depuis longtemps : l'identité de Stein. Maintenant que Kate était arrivée, il recommençait son histoire.

— Parce que le soleil m'aveuglait, comme la lampe suspendue au-dessus de la table sur laquelle j'étais attaché dans l'entrepôt de l'Artiste, je me suis rappelé une pensée que j'avais eue alors : Stein n'est plus Stein. Mon ravisseur, que je savais être Stein, s'était un peu trop penché et, pendant une fraction de seconde, j'ai vu son visage…

Kate retint son souffle.

— C'était le Dr Lavallée, le chirurgien de garde à l'urgence du CHUS. Stein a non seulement changé de nom à sa sortie de l'hôpital psychiatrique il y a plus de vingt ans, il a aussi changé de visage.

En un millionième de seconde, Kate revit en pensée toutes les occasions où elle avait croisé le bon docteur. Une chose en particulier se rappela à son souvenir : comment il avait l'habitude de continuellement replacer sa montre à son poignet. Il avait peur qu'on voie son tatouage.

— Tu te rappelles cette impression de déjà-vu qu'on a eu tous les deux devant la vieille photo de Stein…, dit Todd. C'est parce qu'elle nous rappelait le Dr Lavallée !

Kate, qui pas moins de trente minutes plus tôt avait été à deux doigts de boire de nouveau, n'était sans doute pas la plus apte à prendre les décisions qui s'imposaient. Néanmoins, Todd s'adressa à elle.

— *What's next ?*

Kate prit le temps de se donner une contenance.

— D'abord obtenir le mandat d'arrestation...

— On est là-dessus !

Labonté et Jolicoeur quittèrent aussitôt la salle.

— Reste à vérifier où il se trouve, sans qu'il s'en rende compte. Est-ce qu'on a une adresse ?

Le sergent Jacques, qui avait pris les devants, la lui donna. Kate fronça les sourcils. Elle connaissait l'adresse, un complexe de condos situé à côté de l'hôpital.

— C'est surprenant... Tu es certain que c'est sa résidence principale ? Je ne l'imagine pas vivre là à temps plein. C'est assez modeste.

— C'est la seule adresse à son nom dans le système, dit Todd.

Kate hocha la tête, puis consulta sa montre.

— En attendant le mandat... Jacques, tu vérifies s'il se trouve chez lui, et Todd, tu t'occupes de l'hôpital.

Les sergents acquiescèrent et quittèrent la salle à leur tour. Kate demeura seule avec Trudel. Ils se fixèrent pendant quelques secondes.

— Je suis désolée pour hier, dit Kate. Mes pensées sont de plus en plus confuses. J'ai failli boire tout à l'heure...

Elle avait fait cet aveu spontanément.

— Toi, tu veux boire parce que tu ne vois plus clair. Moi, je voudrais boire parce que je vois clair maintenant.

La phrase arracha un maigre sourire à Kate.

— Crois-tu que c'est à cause de nous qu'Élisabeth a disparu ou crois-tu qu'elle est entre les mains de Stein ?

— Honnêtement ?

Kate fit oui de la tête.
— Ce serait préférable que ce soit à cause de nous…

# 64

Après inquisition auprès des autorités concernées à l'hôpital, ils avaient appris que le bon Dr Lavallée avait depuis un peu plus d'un an réduit de beaucoup ses heures de travail. Il ne travaillait plus qu'un jour par semaine, et ce n'était pas l'un de ces jours. Restait le condo. Si l'Artiste ne s'y trouvait pas déjà, ils pourraient toujours perquisitionner son appartement en attendant son arrivée.

Munis du mandat, ils quittèrent le poste à plusieurs voitures, afin de s'assurer que le Dr Lavallée, alias Simon Stein, ne leur échapperait pas. Ils n'eurent pas le temps de se rendre au condo. Un appel de la centrale les fit bifurquer vers une maison située sur une terre à Austin. On y avait trouvé onze corps, dont celui du docteur.

La bâtisse ne payait pas de mine. Revêtue de clins de cèdre naturel, elle avait grisonné avec l'âge. Mais ce n'était pas sa couleur qui lui conférait son allure délabrée, c'était plutôt sa galerie aux marches pourries et sa toiture sur le point de s'effondrer.

— *What the f...*

Todd venait, le premier, de mettre les pieds dans la maison. Les corps jonchaient le sol de la pièce à aire ouverte qui composait le rez-de-chaussée. Des petits verres de plastique, du genre burette graduée, reposaient un peu partout près des corps.

— L'agent Lefebvre dit que la centrale l'a dépêché ici pour vérifier, après avoir reçu un appel anonyme. Il...

La vue des corps eut le même effet sur Kate, qui venait de pénétrer dans la bâtisse avec Trudel.

— *Shit!*

Todd se tourna vers elle.

— As-tu déjà vu quelque chose comme ça?

Kate toucha du bout des pieds un des verres tout près d'elle.

— Des doses... On dirait un suicide collectif.

Trudel prit un crayon de sa poche et en souleva un pour en sentir le contenu. Il n'y avait pas mis le nez qu'il le retirait en faisant la grimace.

— Amande amère... Cyanure.

Kate regarda Todd, puis elle dit:

— C'est la marque de commerce de l'ANDEV. Gustav Stein... c'est une capsule de cyanure qu'il a ingérée sous nos yeux.

— *Crazy man...*

— Tu as raison, Todd, dit Trudel, il faut être fou pour se tuer avec du cyanure. C'est une mort très douloureuse.

Ils firent le tour de la pièce et dénombrèrent, outre le Dr Lavallée, dix hommes.

— Pas de femmes..., dit Kate, qui tournait en rond autour des corps en réfléchissant à voix haute. Ils sont tous habillés de la même façon. Jeans noirs, bottes noires, chandails noirs à manches longues...

Elle se pencha et souleva la montre d'un des hommes.

— Tatouage de l'ANDEV... On dirait une équipe.

Trudel, qui marchait dans ses traces, s'arrêta net. De nouveaux les souvenirs affluaient.

— Ils étaient là… dans l'entrepôt.

— Quoi ?

— Stein… Il avait des étudiants. Une sorte de milice de la terreur. L'entrepôt, c'était une école pour apprendre à torturer. Ce sont ses hommes.

Kate l'écoutait attentivement.

— On a toujours dit qu'ils étaient plusieurs…

Trudel fixait le corps de Stein avec une telle intensité que Kate en fut inquiète.

— Ça va ?

— Stein disait que ce n'était pas par vengeance qu'il m'avait enlevé, qu'il avait un plan, qu'on ne pouvait savoir l'étendue de leur puissance…

Kate ne cessait de se passer la main dans les cheveux. On eût dit qu'elle cherchait à mettre de l'ordre dans ses idées.

— Lefebvre ?

Elle avait crié en direction de la porte. Le sergent arriva en courant.

— Vous avez fouillé le reste de la maison ?

— En arrivant. Vide !

— Merci…

Lefebvre retourna à l'extérieur. Il croisa Labonté, Jolicoeur et Jacques qui entraient.

— Les gars du laboratoire sont là, dit Labonté. Ils veulent savoir si on a fini.

— Vous avez trouvé quelque chose dehors ? dit Kate sans répondre à sa question.

— On a fait le tour, dit Jacques.

Il haussa les épaules.

— La place n'appartient sûrement pas au docteur, dit Jolicoeur. Derrière, c'est une véritable cour de ferraille.

— Et ça sent…

Jacques ne termina pas, mais avec l'air qu'il fit, il était facile de comprendre qu'il ne faisait pas allusion à une odeur de parfum.

— Décomposition ? demanda aussitôt Kate.

Ils avaient tous compris qu'elle pensait à Élisabeth.

— Du genre carcasse de chevreuil, dit Jolicoeur pour tenter de la rassurer. Un vrai repaire de braconnier ici...

— Faites creuser tout de suite, dit Kate. Trouvez l'origine de l'odeur... Qu'on emmène les chiens aussi.

Le trio Labonté, Jolicoeur et Jacques retourna à l'extérieur. Todd avait assisté à toutes les conversations d'une oreille distraite, car il s'intéressait à un bout de papier qui dépassait du corps du Dr Lavallée. Il demanda au photographe d'en prendre un cliché et mit des gants de latex pour le retirer de sous le corps. C'était un acte de vente. Stein s'était vraisemblablement acheté un crématorium.

— Kate !

Elle se tourna vers lui. Il lui tendit le document.

Kate enfila des gants avant de le prendre pour le consulter. Comme elle l'approchait de son visage, elle fut intriguée par l'odeur qui s'en dégageait. Un parfum de vanille...

— Tu as senti ?

Elle poussa la lettre sous le nez de Todd.

— Vanille...

Cette odeur avait été omniprésente dans l'enquête sur l'affaire de l'Artiste. Ils en avaient finalement trouvé la source. Sûrement le parfum de Stein.

Kate entreprit la lecture du document.

Kate baissa les bras et le document glissa par terre. S'il avait enlevé Élisabeth...

C'en était trop pour elle. Elle sortit en courant de la maison.

# MANIFESTE DE L'ANDEV

(Extrait XI)

**Préambule à la résolution du 12 décembre 2011**

*En 1853, l'écrivain français Joseph Arthur de Gobineau publiait l'ouvrage* Essai sur l'inégalité des races humaines, *préambule à la hiérarchisation des races telle qu'on la connaît aujourd'hui.*

*En 1899, Houston Stewart Chamberlain, dans son ouvrage* Fondements du XIX^e^ siècle, *affirmait que la race supérieure décrite par Gobineau était l'ancêtre de toutes les classes dirigeantes d'Europe et d'Asie, et qu'elle existait encore à l'état pur en Allemagne.*

*En 1925, Adolf Hitler publiait* Mein Kampf, *essai et manifeste politique fondateur du nouvel ordre mondial, basé sur la suprématie de la race aryenne et la légitimité de défendre son espace vital.*

[...]

# 65

Deux semaines…

Kate assistait plus qu'elle ne participait au déjeuner familial, auquel les enfants Branchini l'avaient conviée dans la maison de NDG. Avec Sylvio, ils faisaient des efforts considérables pour essayer de remettre un peu de normalité dans leur vie. Kate n'essayait même plus. C'était au-dessus de ses moyens. Elle vivait dans la constante présence de l'absence de sa fille.

Deux semaines…

Les mots tournaient en boucle dans sa tête. Un mantra de l'absence, du vide, de la mort.

Ni les agents qui avaient creusé, ni les chiens emmenés sur place n'avaient trouvé de traces de restes humains derrière la maison décrépite d'Austin. Jolicoeur avait vu juste cependant. L'endroit appartenait à un habitué du braconnage. Le sol pullulait de carcasses de chevreuils et d'autres bêtes sauvages. Une perquisition entreprise dans le crématorium de Stein n'avait rien démontré non plus.

Sur le coup, la nouvelle avait rassuré Kate, mais le répit avait été de courte durée. Si Stein avait un rapport avec la disparition de sa fille, il était mort avec son secret.

— Kate…

Elle leva les yeux et vit que les enfants avaient quitté la table et qu'elle se trouvait seule avec Sylvio.

— Je suis désolée…

Sylvio rangea les restes du repas, desservit la table et mit le lave-vaisselle en marche. Il leur prépara ensuite des cafés.

— C'est dur pour les enfants, dit-il en posant une tasse devant Kate.

Kate le dévisagea sans rien dire.

— Ils savent qu'ils ne peuvent pas remplacer Élisabeth, mais en même temps… Il faut que tu comprennes. Chaque enfant voudrait suffire à lui seul à nous rendre heureux. Quand Nicoleta est morte… j'ai compris ça. Ils ont besoin de sentir qu'ils comptent encore pour nous…

— Tu veux dire pour moi ?

Kate avait posé la question avec agressivité.

— Je parle pour nous deux. Élisabeth, je l'aime, autant que mes autres enfants. Tu ne sembles pas t'en rendre compte.

Kate soupira.

— Je sais. Je m'excuse.

Ils restèrent silencieux un moment. Puis Kate se pencha pour prendre la main de Sylvio.

— La mort de Nico… c'était un fait. Une évidence avec laquelle vous étiez obligés de vivre. Mais avec Élisabeth… je ne peux pas me dire : « OK, il y a ceux qui restent. Il faut que je m'occupe d'eux. » Parce que Élisabeth est peut-être encore en vie, quelque part, à avoir besoin de moi, à m'appeler… Tu ne peux pas savoir tout ce qui me tourne dans la tête depuis sa disparition. J'ai même pensé que je ne pourrais jamais déménager, tu sais, pour vivre avec toi dans une maison qu'on aurait choisie ensemble. Je ne pourrais jamais déménager parce qu'elle pourrait revenir et trouver des étrangers dans sa maison… Je ne pourrais jamais sourire, sachant qu'il y a même une infime possibilité qu'elle soit entre de mauvaises mains. Je ne pourrais jamais regarder les enfants sans penser que le portrait n'est pas complet…

Kate s'arrêta. Des exemples, elle aurait pu lui en donner à l'infini. Elle lâcha la main de Sylvio.

— Et si ce n'est pas une fugue… Si Stein l'a enlevée… je ne saurai pas davantage ce qui lui est arrivé.

Elle se laissa aller contre le dossier de sa chaise. Elle était vaincue.

— Tu abandonnes avant de savoir…

Sylvio s'était levé en parlant. Il était maintenant debout en face d'elle, de l'autre côté de la table.

— D'abord, rien de concret n'appuie l'hypothèse selon laquelle Élisabeth a été enlevée par Stein. Ce ne sont que des suppositions depuis le début, des conjectures issues de ton obsession pour l'Artiste. La théorie de la fugue est cent fois plus probable.

Il avait élevé le ton. Ce qui n'était pas dans ses habitudes. Mais il voyait Kate s'enliser et il avait besoin de la secouer.

— Penses-tu me soulager ?

— Quoi ?

— Si notre fille a fait une fugue, c'est à cause de moi.

— Mais…

— Je suis pourrie jusqu'à la moelle, Sylvio. Je suis un cancer pour ceux qui m'approchent.

Sylvio avait marché jusqu'à elle et lui agrippait les épaules.

— Veux-tu arrêter ça ? Tu n'as rien fait de mal.

— Si elle ne m'avait pas vue avec Paul…

— Mais il ne s'est rien passé avec lui ! Tu étais heureuse qu'il retrouve la mémoire. Tu l'as pris dans tes bras. Ton corps a réagi, c'est tout. Tu as tellement peur de tes démons que tu en inventes. Tu te fais des peurs. Tu voudrais être plus catholique que le pape !

Kate ne dit rien. Elle savait qu'il avait raison. Mais elle n'y pouvait rien. Elle avait besoin d'une réponse, d'un coupable, d'une raison. Elle avait besoin de mettre fin au doute.

# 66

Kate avait reçu un appel de Todd, qui était au Laboratoire de sciences judiciaires. Les analyses toxicologiques sur les cadavres étaient terminées. Elle lui avait donné rendez-vous à la morgue, où elle se rendait justement avec Sylvio.

La morgue était encombrée par les onze corps trouvés à Austin. Sylvio avait fait entrer du personnel pour terminer les autopsies au plus tôt. Le trio qu'il formait avec le sergent Dawson et Kate s'était approché de la table de métal où reposait le corps de l'Artiste. Kate songea qu'elle n'avait aucune joie à avoir trouvé l'homme qui avait tué un de ses collègues et presque fait subir le même sort à Paul Trudel.

Sylvio consulta le dossier qu'il avait à la main.

— Stein s'est donné la mort au moins deux heures après les autres.

Kate regarda Todd. Il haussa les épaules.

— Il les avait drogués ?

— Oui, une forte dose de Valium.

— Un anxiolytique ? dit Todd. Pourquoi ? Ç'aurait été plus simple de les endormir, et de les empoisonner après.

— Il voulait les voir se donner la mort…

Kate avait parlé les yeux rivés sur Stein.

— Il voulait les voir souffrir.

Sylvio savait que Kate ne pouvait s'empêcher de penser à Élisabeth, d'imaginer son sort entre les mains de Stein. Il tourna bruyamment les pages du dossier. Todd comprit le message.

— Stein… est-ce qu'il s'est drogué avant de prendre le poison ?

— Non. Il a juste ingurgité le cyanure.

Sylvio continuait de consulter le dossier.

— Aucun des corps n'a de marques défensives. Tout semble indiquer qu'ils se sont prêtés au suicide volontairement.

— Le portrait de son père, dit Kate. Il devait savoir que Trudel l'avait démasqué. Il a choisi sa fin.

Todd fouilla dans ses poches et en sortit son carnet qu'il consulta avant de dire :

— Les gars étaient tous du coin, âgés de seize à trente-deux ans. Pas les meilleurs éléments de la société. Labonté et Jolicoeur ont questionné l'entourage des victimes. Apparemment, les gars avaient tous un petit quelque chose contre la société. Ils étaient tous un peu paumés.

— Des gars faciles à influencer…, dit Kate. Des gars qui avaient besoin d'une cause. Stein savait les choisir.

— En tout cas, dit Todd, il devait avoir une sacrée influence sur eux. Je ne connais personne qui me convaincrait de prendre du poison pour sa cause, encore moins du cyanure.

L'atmosphère de la morgue, déjà désagréable en temps normal, était intolérable. Kate avait de la difficulté à se concentrer. Que faisait-elle là, alors que sa fille avait besoin d'elle ?

— Je rentre à Perkins, dit-elle soudain. Je ne suis plus d'aucun service pour personne. Je ne sais pas ce que je fais ici.

Elle s'éloigna en direction de la sortie.

— À Trudel de clore le dossier de l'Artiste, dit-elle à Todd, avant de foncer dans les portes battantes.

— Kate…

Sylvio l'avait suivie dans le corridor.

— Kate, attends !

Kate ralentit le pas, puis se tourna en direction de Sylvio comme il arrivait à ses côtés.

— Je rentre avec toi.

— Non, tu vas rester ici pour faire ton travail. Je n'ai pas besoin de gardien.

Sylvio ne dit rien, mais soutint son regard.

— Je ne vais pas boire, si c'est ce que tu imagines…

Sylvio jura entre ses dents.

— Est-ce que c'est si difficile de te laisser aimer ? Tu n'es pas seule dans ce merdier. Marco, Victoria, Isabella, moi… On y est tous.

Kate allait répliquer, mais Sylvio ne lui en laissa pas le temps.

— Je rentre avec toi. Un point c'est tout.

Il agrippa son coude et la poussa en direction du stationnement.

# 67

Le retour de Kate et Sylvio à Perkins s'était fait dans le silence le plus absolu, chacun perdu dans ses pensées.

Kate s'enfonçait dans un raisonnement où aucune lumière ne filtrait. Comment pouvait-elle faire autrement? Son passé prévoyait inévitablement une fin malheureuse. Il était près de seize heures trente lorsqu'ils mirent les pieds dans le chalet. Sylvio fit aussitôt une flambée dans le poêle, espérant mettre un peu de chaleur dans une ambiance qui aurait glacé un Inuit. Kate tourna en rond un moment, puis annonça qu'elle allait prendre l'air. Sylvio se contenta de répondre qu'un repas chaud l'attendrait à son retour.

Kate évalua qu'il restait encore une heure de clarté avant que le soleil se couche. Elle chaussa ses raquettes et s'enfonça dans le bois. La couche de neige était moins épaisse que par les années passées. Ses foulées étaient longues et puissantes. Elle ne savait pas où elle allait. Elle avançait. C'était tout.

À part le son feutré de l'explosion de neige folle que ses raquettes provoquaient à chaque pas, la forêt était silencieuse. Tous les sons étaient à l'intérieur de Kate. Le sang qui courait dans ses veines, l'air qui entrait et sortait de ses poumons, son cœur qui battait à tout rompre… Kate ne marchait plus, elle courait. Ses raquettes ne s'enfonçaient presque plus, elle volait au-dessus de la croûte de neige. Elle avait dû courir pendant près de trente minutes quand elle s'arrêta enfin, à bout de souffle et en nage.

Kate avait dû traverser son lot en diagonale, car elle avait atteint la route provinciale qui croisait son rang. Elle enleva ses raquettes et s'engagea en direction de sa maison. Une dizaine de minutes plus tard, elle tournait sur son rang. Il était temps, le soleil allait bientôt disparaître.

L'exercice lui avait fait du bien. Cela ne changeait rien à la situation, mais il lui semblait que son esprit était plus clair. Dans un ultime effort, elle tenta de revisiter la situation.

Elle chercha d'abord à voir si tout avait été tenté de leur côté pour retrouver Élisabeth. Elle passa en revue les actions concrètes qui avaient été entreprises. L'avis de recherche, l'interrogatoire de Nunnelly, les interviews des étudiants du cours, la photo d'Élisabeth postée dans les journaux et les médias sociaux, la recherche de témoins qui l'auraient aperçue… À l'exception du témoignage d'une femme âgée qui croyait peut-être l'avoir aperçue dans la région de Sherbrooke quelques jours après sa disparition, ils n'avaient rien appris. Bien sûr, les agents de la SQ dans le coin de Sherbrooke avaient gardé l'œil ouvert dans les jours suivant le témoignage de la vieille femme, mais sans résultat.

Kate gémit, pliée en deux tellement la douleur qui lui montait du ventre était insupportable. Elle avait physiquement mal de l'absence de sa fille, comme un drogué en sevrage. Elle se traîna jusqu'au banc de neige sur le bord de la route et s'y laissa choir. Elle voulait être comme Sylvio, elle voulait s'accrocher à lui, aux enfants, mais elle en était incapable. Elle était aspirée par les ténèbres, comme le papillon par la lumière.

Kate pleura longtemps, enfoncée dans le banc de neige. Le soleil avait disparu et la pénombre s'installait quand elle sombra dans une torpeur bienfaisante. Le froid l'avait prise dans ses griffes. L'hypothermie faisait son œuvre. Elle ferma les yeux et s'enfonça encore plus dans la neige.

— Maman ?

Kate sourit. Sa fille l'appelait d'outre-tombe.

— Maman ? Est-ce que c'est toi ?

Sa fille l'appelait. Sa fille était venue la chercher.

— Kate, oh mon Dieu, Kate…

Quelqu'un la secouait violemment. Elle ouvrit l'œil. Élisabeth, en pleurs, était penchée au-dessus d'elle.

— Maman…

— Beth ? C'est toi ?

Kate était revenue à elle. Elle n'en revenait pas. Sa fille était bien là, en chair et en os, et elle lui portait secours.

# 68

Greta ferma la seconde valise et fit signe à Karl Linden qu'elle était prête. Il s'empara des bagages.

— Je t'attends dans la voiture.

Elle hocha la tête.

Le jour était arrivé où elle devait quitter pour de bon le chalet. Elle soupira. Elle laissait derrière elle ses souvenirs familiaux, mais aussi Greta Stein et l'enfant qu'elle avait été. Elle était désormais Karla Brünner, une femme sans passé.

Elle fit un dernier tour du propriétaire. Non qu'elle eût peur de laisser des traces de son passage, ils avaient déjà pris les décisions qui s'imposaient sur le sujet : vingt-quatre heures après leur départ, le chalet se consumerait. Non. Elle avait juste besoin d'un peu de temps, seule. Ce n'était pas de gaieté de cœur qu'elle avait commandé la mort de son frère. L'opération Jonestown n'avait été déclenchée qu'en tout dernier recours. Quand elle avait été certaine que Simon était devenu incontrôlable et qu'il était un danger pour l'ANDEV. Tout de même… la culpabilité la rongeait.

Pourtant, chaque pièce de la maison lui rappelait une discussion avec Simon qui pouvait la conforter dans sa décision, en particulier le salon où il lui avait raconté le cadeau de la Saint-Valentin qu'il s'était offert. Sa « soirée petits fours »… Greta expira bruyamment. Ces méthodes de mise à mort appartenaient au passé et n'avaient pas lieu d'exister dans la lutte actuelle, pas plus que les croix enflammées et les lynchages du Ku Klux Klan. La race blanche ne devait pas succomber au barbarisme des races inférieures. Surtout pas au Canada, un pays démocratique, où quand on savait se servir du système, il nous servait bien.

Elle s'attarda à une photo de son frère encore affichée au mur. Il lui avait été facile de le déjouer. Sa folie et son complexe de déité avaient atteint un tel sommet qu'il ne pouvait pas imaginer qu'on oserait s'attaquer à lui, que sa sœur pourrait en vouloir à sa vie.

En prévision de l'opération Jonestown, Greta avait organisé le retour de la milice de Simon du camp de Virginie. Cela donnerait plus de crédibilité à sa mise en scène de suicide collectif ordonné par un paumé. En attendant l'opération, elle les avait cachés dans une cabane de braconnier abandonnée, située à l'autre extrémité de leur terre.

La mise à mort des militants avait été un moment difficile à passer. Encore une fois, pour donner plus de véracité à la scène, elle avait préféré ne pas les endormir. Elle leur avait fait prendre une dose de Valium à leur insu, et quand ils avaient été suffisamment détendus pour ne pas se poser trop de questions, elle leur avait fait ingurgiter un prétendu « vaccin » en prévision de l'endroit où ils devaient se rendre pour « continuer la lutte ». Ils n'avaient rien vu venir. Greta, un verre à la main, avait porté un toast à leur victoire. Sur ce, ils avaient tous bu en même temps. Bien sûr, elle n'avait mis que de l'eau dans son verre. Leur fin avait été atroce.

La première partie du plan accomplie, elle avait attendu l'arrivée de Simon, cachée à l'arrière de l'édifice. Elle lui avait préalablement donné rendez-vous, prétextant avoir trouvé une somme considérable d'argent dans la vieille cabane de braconnier. Sûrement une cachette que son père avait oublié de leur révéler, avait-elle invoqué. Simon Stein avait été surpris qu'elle se soit aventurée aussi loin dans la forêt, mais, excité par la découverte de l'argent, il n'avait plus posé de questions et avait accepté d'aller rejoindre sa sœur.

À son arrivée, il avait été aussitôt maîtrisé par Karl Linden et ses hommes, puis conduit à l'intérieur.

— Tu as enfin ce que tu as toujours voulu, avait craché Simon à Linden, prendre ma place à la tête de l'ANDEV !

Ce n'est pas Linden qui avait répondu, mais Greta, qui jusque-là était demeurée invisible.

— Ça ne te viendrait même pas à l'idée qu'une femme te remplace, avait-elle dit en pénétrant dans la cabane. Que je te remplace…

Simon avait fait volte-face.

— Toi !

— Oui, moi, la pauvre petite Greta.

Simon avait regardé autour de lui.

— C'est une blague ou quoi ?

Greta avait secoué la tête.

— J'ai bien peur que non… C'est le temps de faire honneur à notre père.

Greta avait sorti un flacon de son sac et versé une larme de cyanure dans un verre gradué, déjà prêt sur une petite table.

— Une chance que notre père est mort. Ça l'aurait tué.

Le visage de Greta devint de glace.

— Notre père est mort à cause de tes agissements.

— Il était d'accord avec moi…

Greta le gifla.

— C'était un vieil idéaliste. Tu as abusé de lui. Tu lui as fait croire qu'avec ta milice de la torture tu pouvais réaliser son rêve, qu'il verrait la victoire de la race blanche de son vivant. Un vieux sénile conduit par un fou furieux.

— Le conseil ne te laissera pas…

— Le conseil a été facile à convaincre, le coupa-t-elle. Tu es devenu trop dangereux pour eux. Trop « volatil »… Je n'ai eu qu'à leur expliquer comment Trudel était devenu une menace uniquement à cause de toi, et comment je les avais sauvés en assurant sa surveillance. Ils ont compris qui de nous deux avait toute sa tête, qui de nous deux a l'étoffe d'un chef.

Elle s'était avancée vers lui, le verre gradué à la main. Il avait voulu se débattre, mais les hommes avaient raffermi leur emprise sur lui. Il avait alors compris qu'il ne pourrait leur échapper, que son heure était venue.

Simon avait planté ses yeux dans ceux de sa sœur. Nulle supplication. Que de la haine. Pure.

Greta avait porté le verre à ses lèvres.

— Je ne voulais pas en arriver là… Tu ne m'as pas laissé le choix.

Simon l'avait fixée froidement, puis avait penché la tête vers l'arrière pour boire le contenu du verre.

— Adieu, Simon…

Elle avait quitté la pièce alors qu'il agonisait.

Greta se secoua et jeta un dernier regard autour d'elle. Il était temps de partir. Elle s'arrêta devant le miroir de l'entrée pour vérifier son maquillage et vit que son mascara avait coulé. L'émotion sûrement. Elle ouvrit son sac à main et en sortit un étui avec des produits. Elle corrigea les imperfections et, comme elle allait remettre le tout dans son sac à main, elle vit sa bouteille de parfum, le *N° 1* de Clive Christian. Le parfum le plus cher au monde… Pas uniquement à cause de ses composants, dont les seuls connus étaient la vanille de Tahiti et le bois de santal de l'Inde, mais parce que le flacon était taillé dans du cristal de Baccarat, rehaussé d'or dix-huit carats et incrusté d'un diamant de cinq carats. C'était la réplique de la couronne d'Angleterre. De plus, le parfum n'était tiré qu'à dix-huit exemplaires. Rares étaient les chanceux qui avaient l'insigne honneur de le porter. Il avait été un cadeau de Simon…

Elle essuya une larme avant qu'elle gâche son maquillage et referma son sac à main. Karl l'attendait dans la voiture. Elle avait assez tergiversé.

Greta jeta un dernier regard dans le miroir. Elle aimait ce qu'elle voyait. C'était l'image d'un chef.

Le nouveau chef de l'ANDEV.

Karla Brünner.

# 69

Sylvio tomba à genoux en voyant Kate et Élisabeth arriver au chalet. Toute la litanie des saints de son enfance refit surface et, en italien, il les remercia chacun leur tour. Kate pleurait, Élisabeth pleurait et Sylvio priait… en pleurant.

Une fois les effusions passées, ce fut l'heure des explications. Mais il n'y eut aucun cri, aucun blâme. Ils voulaient simplement comprendre. Ils n'avaient pas besoin de porter des accusations, Élisabeth se sentait déjà suffisamment coupable. Elle avait erré. Magistralement. Elle le savait.

Elle leur raconta ses sentiments pour Nunnelly, le moment où elle avait surpris Kate et Paul, comment Nunnelly l'avait repoussée… Elle était cependant incapable de comprendre ce qui l'avait poussée à agir aussi stupidement. Tout lui semblait si bête maintenant. Si puéril…

Ils se bécotèrent, se consolèrent, se pardonnèrent jusque tard dans la nuit. Ils se racontèrent dans le menu détail sa fugue et leurs recherches. Quand, finalement, ils se mirent au lit, c'était avec la certitude que le soleil brillait de nouveau dans leur vie.

Les enfants Branchini, à qui Sylvio avait appris la nouvelle la veille, frappèrent à la porte du chalet dès huit heures le lendemain matin. Élisabeth recommença son histoire, ses excuses, sa promesse de ne plus recommencer. Puis ils décidèrent de fêter le retour de l'enfant prodigue.

Du comptoir de la cuisine, où elle était appuyée, Kate posait un regard affectueux sur l'assemblée réunie dans le salon. Ils étaient tous là, ceux qu'elle chérissait. Le clan Branchini, Paul, Mary, Todd, Labonté, Jolicoeur... Même le sergent Jacques. Après tout, ce n'est pas de sa faute s'il est jeune, songea-t-elle. Cette pensée la fit sourire. Une émotion qu'elle croyait ne jamais revivre.

Dans la béatitude du moment, Kate laissa ses pensées dériver sur l'histoire de la fugue de sa fille. Il fallait le reconnaître, ça lui avait pris une bonne dose de courage pour partir ainsi à l'aventure. Sa fille la surprenait. Elle réalisa qu'elle retirait même une certaine fierté à voir comment elle avait déjoué la surveillance policière. Ce qui ne lui procurait aucun plaisir était de savoir qu'il existait une organisation qui aidait les enfants fugueurs à demeurer dans l'anonymat. Il était bien évident que Kate n'allait pas laisser passer cette information sans investiguer.

L'après-midi, pendant qu'ils s'affairaient tous aux préparatifs, elle s'était éclipsée au poste pour faire des recherches. Comme elle l'avait deviné, cette organisation n'existait pas, du moins officiellement. Mais il n'y avait pas de doute qu'elle officiait clandestinement.

Élisabeth lui avait décrit le complexe où on l'avait conduite. Plusieurs bâtiments, en majorité des constructions rudimentaires en bois. Elle avait séjourné dans un seul. L'accès aux autres lui était défendu sous peine d'être renvoyée. Elle n'avait pas cherché à savoir pourquoi. Élisabeth avait ajouté après un moment de réflexion : « Il y avait quelque chose dans la voix de l'homme... Quand il m'a expliqué les règlements du campus – c'est comme ça qu'il nommait l'endroit –, ça m'a empêchée de poser des questions.» Kate en avait déduit que ce «quelque chose» était sûrement une menace à peine voilée.

Élisabeth avait poursuivi en expliquant que, dès son arrivée, on lui avait remis une liste de tâches, en lui expliquant que c'était le prix qu'elle devait payer pour demeurer parmi eux. Elle n'avait pas rechigné. «Après quatre jours seule dans la nature, avait-elle dit, j'étais contente d'avoir un lieu où réfléchir à l'abri.»

Le premier jour, elle avait découvert qu'ils étaient une douzaine. Tous des jeunes qui, comme elle, ne savaient pas où aller, ni quoi faire de leur vie. Comme elle, ils avaient été recueillis dans la rue. Cela lui avait apporté un certain réconfort. Elle s'était soudain sentie moins seule. Le travail qu'on lui demandait était harassant, mais comme elle se couchait épuisée, cela l'empêchait de passer la nuit éveillée à pleurer. Après quelques jours, cependant, elle avait commencé à s'interroger sur l'endroit.

Elle n'avait pas accès aux autres bâtiments, mais de la fenêtre de sa chambre, elle pouvait voir les gens arriver et partir du complexe. C'était majoritairement des hommes, et certains – elle n'aurait pu le jurer vu la distance – semblaient armés. À partir de ce moment, tout dans cet endroit lui était soudain apparu hostile. C'est alors qu'elle avait commencé à regretter sérieusement son escapade, avait-elle avoué. Kate lui avait demandé pourquoi elle n'avait pas quitté les lieux plus tôt. Élisabeth lui avait confié qu'au moment où elle avait pris la décision de quitter, elle était tombée malade. Kate s'était inquiétée de la nature de cette «maladie», mais Élisabeth n'avait pas voulu épiloguer et avait insisté pour dire qu'on avait bien pris soin d'elle et que, dès qu'elle avait été remise, à sa demande, on l'avait reconduite à Perkins.

Elle avait été incapable de dire à Kate où le complexe se situait. Elle était arrivée et repartie en pleine nuit. Elle avait dormi pendant les deux trajets.

Kate regarda Élisabeth, assise sur le divan entre ses deux demi-sœurs, son chat Merlin lové sur ses genoux, la vieille chatte Millie couchée à ses pieds, et elle vit qu'elle frissonnait, malgré la chaleur étouffante de la pièce.

Élisabeth avait eu peur, elle le savait. En temps et lieu, sa fille se confierait, et Kate pourrait mettre la main au collet de cette mystérieuse organisation qui supposément aidait les fugueurs.

# 70

La vie avait repris son cours.

Kate sourit en voyant le capharnaüm qui régnait dans la chambre de sa fille. En fredonnant, elle commença à ranger la pièce. Cette routine, qui d'ordinaire l'irritait, la ravissait ce matin. Elle en avait assez de la violence, des enquêtes, des criminels. Elle avait envie de normalité, de repas en famille, de soirées à rigoler. Quand les invités étaient partis la veille, elle avait aimé le désordre de la maison. Ce matin, la cacophonie du petit déjeuner l'avait ravie.

Elle en avait discuté avec Sylvio en se couchant. Elle lui avait dit qu'elle avait assez tergiversé, que s'il le voulait encore, elle voulait bien qu'ils emménagent ensemble. Mais il faudrait que ce soit à Perkins. Elle ne voulait plus retourner vivre à Montréal. Sylvio pourrait faire la navette, le temps de quitter en douceur son travail de pathologiste et elle, celui d'enquêteur. « J'ai envie de vivre notre vie de famille », avait-elle dit. Sylvio avait souri, aussi large que sa bouche le lui permettait, et ils avaient fait l'amour en riant et en se promettant de s'aimer toujours.

Après le déjeuner, au milieu des fous rires et des chuchotements, il était parti avec les trois enfants Branchini, soi-disant pour faire des courses. Kate était demeurée seule avec Élisabeth. Sylvio comprenait qu'elles avaient besoin de se retrouver.

Kate avait terminé le ménage de la chambre de sa fille quand elle vit un mouchoir qui dépassait de son sac à dos. Intriguée par ce mouchoir, qu'elle ne reconnaissait pas, elle le tira du sac. Elle figea aussitôt sur place. C'était un carré de soie, duquel se dégageait un parfum subtil : des effluves de bois de santal et de vanille. Elle sortit en trombe de la chambre, à la recherche de sa fille.

— Élisabeth ?

À son ton, la petite sut que quelque chose n'allait pas.

— Je suis dans le salon.

— Qui t'a donné ce mouchoir ? demanda aussitôt Kate.

— Une femme...

— Quelle femme ?

— Une femme qui est venue au complexe... Elle était gentille. Elle a vu que je pleurais, et elle m'a donné un mouchoir.

— Est-ce qu'elle t'a dit son nom ?

Élisabeth mit du temps à répondre.

— Ça commence par un C ou un K, comme toi ! Kathy... Kim... Non, je me souviens, c'est Karla.

Kate ne disait rien.

— Elle me l'a donné..., dit soudain Élisabeth. Je jure que je ne l'ai pas volé !

Kate se rendit compte qu'elle l'effrayait.

— Je sais, ma poulette. Ne t'en fais pas. C'est juste que le parfum sur le mouchoir...

Élisabeth rit.

— Ouais, ce n'est pas ton genre.

Kate imita son rire.

— Tu y tiens vraiment ? Il me semble que c'est un mauvais souvenir...

— Karla a été vraiment gentille... Le jour où je me suis rendu compte à quel point j'avais été idiote et que j'ai voulu revenir à la maison, elle m'a tout de suite assuré que je prenais la bonne décision.

— Ah, oui ? Elle travaillait pour le centre ?

Élisabeth avait réfléchi.

— Je ne crois pas. C'était peut-être une bénévole...

— Je vois...

— Elle était venue me rendre visite, pour voir comment j'allais, et quand elle a vu dans quel état je me trouvais, elle m'a donné le mouchoir pour me réconforter. C'est un mouchoir spécial. Elle m'a expliqué que ça vient avec le parfum quand on l'achète. Regarde, on voit le nom sur le carré...

Kate lut l'inscription.

— *N° 1*... Clive Christian.

— C'est un parfum très cher, il paraît...

— Ah...

— Elle était vraiment gentille. Elle m'a même préparé le meilleur chocolat chaud que j'aie jamais bu..., finit-elle en riant.

— Et tu as commencé à être malade à ce moment-là ? Après sa visite ?

Élisabeth fronça les sourcils.

— Oui..., dit-elle avec une petite voix.

Kate comprit qu'il fallait qu'elle arrête.

— L'important est que tu sois mieux et, surtout, que tu sois de retour à la maison, dit-elle en se penchant pour l'embrasser sur la tête.

— Je ne ferai plus jamais ça...

— Je sais.

Kate lui sourit et quitta le salon, le mouchoir à la main.

Elle en était certaine. Sa fille n'avait pas été malade. Cette Karla l'avait droguée pour l'empêcher de partir. Mais pourquoi la relâcher par la suite ?

Son cellulaire carillonna. C'était Sylvio. Elle avait un ton tellement bizarre au téléphone qu'il s'inquiéta.

— Tout est sous contrôle ?

Elle hésita, puis décida de ne rien dire.

— Oui, oui. Je ne sais plus à quoi je pensais... Revenez vite, je m'ennuie, dit-elle sur un ton plus léger.

— Tu es certaine que ça va ?

— Oui, oui... Revenez, j'ai hâte de voir ce que vous avez acheté.

Sylvio rit en regardant ses enfants. Il tenait une petite boîte de velours bleu à la main, du genre à contenir une bague.

— Toute une surprise. Tu vas voir...

Kate raccrocha en riant, mais elle s'arrêta net dès que la communication fut coupée. Elle croyait savoir à qui appartenait ce parfum qu'elle avait cru reconnaître dans l'atelier où Stein avait séquestré Trudel, et qu'elle avait senti encore une fois dans la maison décrépite d'Austin. S'il n'appartenait pas à Stein, il ne pouvait être qu'à sa sœur, Greta Stein.

Elle regarda le mouchoir. Karla était Greta Stein.

Elle avait toujours cru que la fille Stein n'était que l'ombre de son père et de son frère, mais elle se trompait du tout au tout. Le zèle qu'elle portait à la cause était réel, fondé sur une passion. Elle avait sûrement fait surveiller Trudel. Elle devait craindre qu'il recouvre la mémoire, qu'il mette l'ANDEV en danger. En suivant Trudel, elle avait découvert son lien avec Élisabeth.

Kate se prit la tête à deux mains. Bien sûr ! Elle avait dû voir sa fille comme une assurance... Une monnaie d'échange si les choses tournaient mal. C'est pour ça qu'elle l'avait aussi fait surveiller, puis qu'elle l'avait ensuite recueillie au complexe. Le complexe devait appartenir à l'ANDEV. Un campus, avait dit Élisabeth. Un camp néo-nazi en pleine campagne québécoise...

— *Shit!*

Kate se souvint de l'odeur du parfum sur l'acte de vente du crématorium. Stein n'avait pas mis fin à ses jours, ni à ceux des autres hommes. C'était l'œuvre de Greta Stein. Kate ne pourrait peut-être jamais le prouver, mais elle en était certaine. Greta avait ordonné la mort de son frère pour protéger l'organisation.

Kate réfléchit. Sa fille courait-elle un danger immédiat ? Elle ne le croyait pas. Greta Stein avait fait éliminer son frère pour protéger l'ANDEV de ses frasques. Elle n'allait sûrement pas mettre elle-même son organisation en danger.

Kate eut la nausée.

L'horreur n'aurait donc jamais de fin. Existait-elle, cette vie dont elle rêvait, ou n'était-ce qu'une illusion ?

Elle revint vers le salon. Élisabeth s'était endormie sur le divan, les chats lovés contre elle. Kate ouvrit la porte du poêle à bois et y jeta une nouvelle bûche. En regardant les flammes, son poing refermé sur le mouchoir, elle se ressaisit.

Non. Cette vie rêvée existait.

Elle l'avait.

Et elle allait la protéger.

## MANIFESTE DE L'ANDEV

(Extrait XII)

**Résolution du 5 mai 2011**

*Puisque la défaite d'Hitler n'était qu'une bataille perdue dans la guerre pour assurer la suprématie de la race blanche.*

*Puisque le combat s'est poursuivi à travers des mouvements comme le Ku Klux Klan, la Fraternité aryenne, le Blood and Honour, l'Alliance nationale, le Parti nazi américain et plusieurs autres organisations néo-nazies, en Europe et en Amérique.*

*Puisque l'élection d'un nègre à la présidence des États-Unis a déclenché la plus grande mobilisation des intégristes chrétiens jamais vue en Amérique du Nord et une adhésion encore plus grande de la population au sentiment que la race blanche est en péril.*

*Puisque les instances politiques, militaires et policières ne font rien pour protéger l'espace vital des Blancs, il est donc résolu :*

- *de créer une milice armée au sein de l'ANDEV, afin que l'organisation se joigne aux groupes de guerriers en Amérique du Nord, militant à la défense de la suprématie de la race blanche ;*
- *de préparer cette milice en vue de la solution finale.*

# 71

Karla Brünner leva son verre à la santé des vainqueurs et cela provoqua un tonnerre d'applaudissements dans la salle. Le calendrier indiquait qu'ils étaient le 11 mai 2011. Neuf jours plus tôt, le Parti conservateur du Canada avait remporté les élections. Stephen Harper allait gouverner le Canada pendant les quatre prochaines années, et son gouvernement serait majoritaire. L'ANDEV n'aurait pu espérer un terreau plus fertile pour s'implanter.

Karla Brünner déambulait parmi les invités de marque rassemblés pour l'occasion. Il y avait des hauts fonctionnaires, quelques ministres, un ou deux députés et beaucoup d'argent de famille. Ce serait facile pour l'ANDEV d'étendre ses tentacules. Le gouvernement en place leur ouvrirait la voie. Elle n'avait qu'à penser à leur désir d'abolir le registre des armes à feu, à leur position sur l'avortement, sur le mariage gai… sans compter leurs positions inflexibles sur les dossiers de l'immigration, de l'écologie et des sables bitumineux. Ce gouvernement allait remettre de l'ordre dans un pays où il n'y en avait plus. Quand viendrait le temps, elle n'aurait qu'à poursuivre le travail entamé.

L'ANDEV, sous sa direction, allait assurer la suprématie de la race blanche.

Karla Brünner en était convaincue.

# Épilogue

## Octobre 2010

L'avenir lui appartenait. Tout comme sa femme, son chien, sa maison, son fils, sa belle-fille…

Gabriel Boucher s'extirpa de la Mercedes qu'il venait de garer sur l'accotement de la route, là où commençait le sentier pour s'engager dans la forêt. Les pieds bien ancrés dans le gravier, il s'étira puis respira goulûment l'air de la campagne. C'était une seconde nature chez lui, de s'emparer de tout avec avidité.

Ses poumons oxygénés, il se rendit à l'arrière de la voiture pour retirer du coffre une paire de bottes Le Chameau, celles-là mêmes qu'il traînait avec lui lors de ses voyages de pêche au saumon sur la Côte-Nord. Il les enfila maladroitement, son embonpoint ne lui permettant pas de se pencher facilement, puis endossa sa veste Kanuk. Les météorologues avaient annoncé des averses dispersées, et le thermomètre de la voiture de Boucher indiquait maintenant qu'il faisait quatre degrés à l'extérieur, cinq de moins qu'à l'aéroport de Dorval, d'où il arrivait. En remontant la fermeture éclair jusqu'à son cou, l'homme se passa la réflexion que l'automne, cette année, serait meurtrier.

Après s'être assuré que son sac à dos contenait tout ce dont il avait besoin pour son excursion, Boucher le retira de la voiture et le passa sur ses épaules. Puis, il verrouilla son véhicule et s'engouffra dans le sentier.

Ce n'était pas la première fois qu'il s'y aventurait. Depuis le jour où l'idée lui était venue d'obtenir des droits de forage dans la région d'Austin, jusqu'à ce qu'il les obtienne, il avait suivi la piste à plusieurs reprises. La dernière fois, il était accompagné de deux spécialistes, des envoyés de la compagnie américaine avec laquelle la gazière Énergic, sa compagnie, pensait s'associer pour exploiter le gaz de schiste. Boucher aurait préféré se passer de la présence américaine, ces derniers exigeant des redevances importantes, mais s'il avait les capitaux, les Américains, eux, avaient l'expertise.

Après une quinzaine de minutes de marche, le sentier déboucha sur une clairière au sol marécageux. Boucher plissa les yeux et fouilla le paysage de l'autre côté du dégagement. Il repéra finalement ce qu'il cherchait : une cache, dissimulée dans les arbres, à environ dix mètres du sol. La région, reconnue pour son cheptel de cerfs de Virginie, attirait invariablement son lot de chasseurs chaque automne. Il n'était donc pas rare de trouver ces abris de fortune, disséminés un peu partout dans la forêt.

Boucher traversa le marécage, puis commença l'ascension de la pruche centenaire qui abritait la cache. Le chasseur qui l'avait construite avait eu la bonne idée de clouer des petits rondins sur le conifère, ce qui facilitait grandement la montée ; surtout quand on avait un physique comme le sien.

Rendu dans la cache, l'homme d'affaires mit du temps à reprendre son souffle. Il songea qu'il était peut-être temps de changer de régime s'il voulait vivre assez longtemps pour jouir des fruits de son labeur. Remis de ses efforts, il retira son sac à dos et en sortit le dossier contenant les documents relatifs au permis d'exploitation. Il n'avait besoin que du plan du territoire, mais il n'avait pas pris le temps de l'extirper de la chemise accordéon, trop pressé de commencer son excursion.

Si Boucher avait décidé ce matin de se rendre sur le site, c'est qu'il souhaitait confirmer son intuition une dernière fois avant d'entamer la phase finale des négociations avec la gazière américaine. C'était un homme de *feeling*. Bien sûr, il ne prenait aucune décision sans avoir revu mille fois les chiffres mais, en bout de ligne, c'est sur son intuition qu'il tablait. Gabriel Boucher sourit. Aussi loin que son regard portait, le sous-sol était composé de schiste, ce roc duquel ils allaient extraire le gaz.

Il retira le plan du territoire de la chemise accordéon, puis déposa cette dernière sur son sac à dos avant de commencer à comparer la carte au paysage qu'il avait sous ses yeux. C'était sa façon de s'approprier une richesse qui n'était pas encore tangible. Car ce n'était pas une forêt remplie d'arbres centenaires avec une faune et une flore étonnamment diversifiées qu'il avait devant lui, mais la promesse d'une somme d'argent considérable.

Boucher prit une longue goulée de la bouteille d'eau qu'il avait pris soin d'apporter. Il en était maintenant convaincu. Il faisait la bonne affaire. Il le « sentait ». Il était à la bonne place, au bon moment. Il faillit s'étouffer lorsqu'il entendit une voix l'interpeller.

— Qu'est-ce que vous faites ici ?

Il regarda en direction du trou pratiqué dans le plancher de la cache et y vit surgir une tête d'homme.

— Qu'est-ce que vous faites ici ? répéta sèchement le nouveau venu, à présent entièrement hissé dans l'abri.

L'homme d'affaires demeurait bouche bée.

— Vous êtes sourd ? insista l'homme, une note de menace dans la voix.

— Euh… Je ne croyais pas…, baragouina Boucher, surpris de croiser un chasseur à cette période de l'année. La chasse est déjà ouverte ?

Le nouveau venu le toisa.

— Vous êtes sur une propriété privée, dit-il rudement. Vous n'avez rien à faire ici. Est-ce que je m'invite dans votre cour arrière sans demander votre permission ?

Boucher comprit qu'il s'agissait du propriétaire du lot sur lequel il se trouvait. Il maudit sur-le-champ la brillante idée qu'il avait eue ce matin de s'y aventurer une fois de plus. On l'avait pourtant bien averti. Il fallait à tout prix éviter d'entrer en contact avec les propriétaires des lots. Les informer à l'avance de l'exploitation ne serait qu'une source de problèmes. Il valait mieux débarquer avec la machinerie et l'équipement, et les mettre devant le fait accompli.

L'homme se fit plus menaçant.

— Dites-moi ce que vous faites ici !

Au fil des ans, il avait surpris bien des gens dans sa cache, mais c'était toujours des chasseurs en quête d'un territoire. Visiblement, cet homme n'en était pas un. Et il n'aimait pas ce qu'il voyait.

— Je m'en vais, dit Boucher, en empoignant la courroie de son sac à dos, oubliant le dossier perché dessus, qui se répandit sitôt sur le plancher de la cache.

Les yeux des deux hommes se posèrent en même temps sur le permis d'exploitation qui avait abouti aux pieds du propriétaire. Ce dernier s'en empara aussitôt, et une expression d'incrédulité se dessina sur son visage lorsqu'il en prit connaissance.

— Mais…, bredouilla-t-il, complètement dépassé par le papier qu'il avait sous les yeux. Ce lot m'appartient !

— Personne ne dispute ce fait, dit Boucher, qui aurait voulu fuir à toutes enjambées. Le sol vous appartient, bien sûr…

— Le sol ? Comment le sol ?

Boucher chercha ses mots avant de répondre, mais ne trouva rien d'autre à dire que :

— Le sol vous appartient, mais pas le sous-sol.

— Quoi ? Qu'est-ce que vous dites ? Ça n'a pas de sens...

Boucher soupira.

— Il serait préférable d'avoir cette discussion ailleurs. Je pourrais vous fixer un rendez-vous dans nos bureaux de Montréal...

Mais l'homme ne l'écoutait pas. Il relisait le document, qui tremblait entre ses mains tellement la rage lui montait au cœur.

— Jamais ! tonna-t-il en froissant le document, qu'il jeta en bas de la cache. Jamais vous ne mettrez les pieds sur ma terre.

Boucher, qui craignait le ton que prenait la discussion, s'avança vers la sortie pratiquée dans le plancher.

— On continuera cette discussion une autre fois, dit-il en tentant de contourner le propriétaire.

Mais l'homme n'avait nullement l'intention de se rendre à Montréal pour discuter du sort d'une terre qui appartenait depuis toujours à sa famille, et il repoussa violemment l'homme d'affaires au fond de la cache.

— Personne n'exploitera ma terre... À part moi ! Comprenez-vous ? martela-t-il, étouffé de rage, les mains agrippées au col de l'homme.

Boucher, qui cherchait désespérément une façon de s'en sortir, dit :

— Il ne faut pas vous en prendre à moi. C'est la loi.

— La loi ? répéta l'homme.

— La loi des mines. Au Québec, aucun propriétaire d'une terre n'est propriétaire du sous-sol.

L'homme croyait devenir fou. Il ne parvenait pas à traiter l'information reçue. Ça n'avait aucun sens. À quoi ça servait d'acheter une terre, de s'en occuper, de la cultiver, de la nourrir de génération en génération si n'importe qui pouvait venir l'exploiter à la recherche d'une mine d'or, d'un gisement de pétrole ou de gaz? La terre n'appartenait-elle donc pas à ceux qui en prenaient soin?

Boucher n'était pas un homme à avoir peur de son ombre, mais son instinct lui dit qu'il valait mieux déguerpir sans discuter. Il empoigna aussitôt son sac à dos et, en marmonnant des excuses, tenta de contourner le propriétaire du lot pour atteindre l'échelle. Déjà menacé par les propos de l'intrus, celui-ci perçut le geste comme une agression. Il le repoussa aussitôt avec violence, et Boucher bascula par-dessus la rambarde de la cache. Quelques secondes plus tard, l'homme d'affaires gisait, désarticulé, dix mètres plus bas.

Comme le peuple à qui il volait la richesse de la terre, l'avenir avait cessé de lui appartenir.

# Remerciements

Merci à Monique H. Messier pour sa persévérance, merci aux Éditions Libre Expression pour leur fidélité, et merci à tous ceux sans qui ce roman n'aurait pas vu le jour.

Merci également à mes fidèles lectrices et lecteurs. Sans vous, je n'existerais pas.

Il s'agit d'une œuvre de fiction.

Je tenais à vous le rappeler.

Potton, 6 mai 2012

## Pour communiquer avec l'auteure

Site web
www.johanneseymour.com

Facebook
www.facebook.com/johanneseymourauteure

Twitter
@JohanneSeymour

Suivez les Éditions Libre Expression sur le Web :
www.edlibreexpression.com

Cet ouvrage a été composé en Adobe Caslon Pro 12,25/14,75
et achevé d'imprimer en septembre 2012 sur les presses
de Marquis imprimeur, Québec, Canada.

certifié

procédé sans chlore

100 % post-consommation

archives permanentes

énergie biogaz

Imprimé sur du papier 100 % postconsommation, traité sans chlore,
accrédité Éco-Logo et fait à partir de biogaz.